我講世界文學史，其實是我的文學的回憶。

1989-1994　古代之卷

# 文學回憶錄

木心 講述　　陳丹青 筆錄

這張照片攝於一九八七年左右的一次聚談中。木心（右一）坐在地上，身後即召集大家上課的李全武。兩年後（一九八九年一月十五日），世界文學課正式開始。

一九八九～一九九四年，陳丹青的五本聽課筆記。

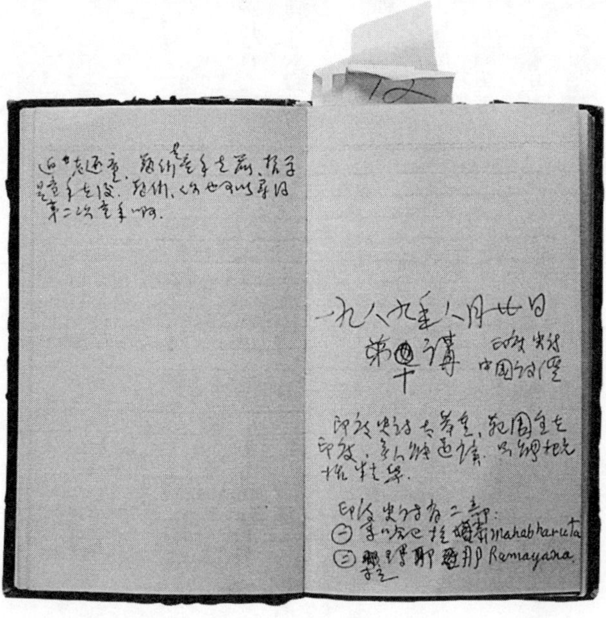


第10講筆記：「印度史詩太笨重，範圍全在印度，無人能通讀，只能概括精華。」

# 目錄

# 小引

陳丹青

這份課程的緣起與過程，說來話長，我在〈後記〉中做了交代。現就這份筆記的問題，補充如下數端：

一，此書大量引文和史料，年來經出版社曹凌志、羅丹妮、雷韻三位編輯做了繁複細緻的核查校對，又承南開中文系博士馬宇輝女士襄助，逐一審閱了中國古典文學部分的史料，謹此一併致謝。

二，當年每一講課場地，輾轉不同聽課人寓所，我有時記錄，有時失記，現據筆錄原樣付印。就我的記憶，聽課者均有筆錄，之後星散，今我已無能逐一聯絡並予徵集。本書面世後，當年的同學若是見到了，而手邊存有更為詳確的筆錄，並願貢獻者，盼望能與出版社聯絡。

三，〈後記〉所述往事，全憑記憶。聽課人的名姓、數目、身分，雖大致不錯，仍恐有所遺漏或不詳者。近期試與一二聽課舊友多次聯繫，俾便完整綴連這份珍貴的記憶，惜未獲回應。是故，〈後記〉中提及而不確，或未經提及的聽課人，請予鑒諒。

最後，出於大家熟知的緣故，本書各處，奉命刪除，謹此告白。

二〇一二年十二月一日

# 文學，局外人的回憶

梁文道

## 一

以前母親、祖母、外婆、保姆、傭人講故事給小孩聽，是世界性好傳統。有的母親講得特別好，把自己放進去。

這段話出自《文學回憶錄》，是陳丹青當年在紐約聽木心講世界文學史的筆記。講世界文學，忽然來這麼一句，未免突兀，不夠學院。木心講課的框架底本，借自上世紀二十年代鄭振鐸編著的《文學大綱》。坦白講，鄭本在縱向時間軸上的分期、橫向以國別涵蓋作家的方法，今天看來已經太落伍了。而在木心的講述裡頭，史實又大幅簡略，反倒是他個人議論既多且廣。興之所至地談下來，重點選擇的作家和作品，多是木心自己的偏愛，全書很難找出一貫而清晰的方法。因此，我們不能把它當成今日學院式的文學史來看。好在，讀者不傻。

木心不是學者，他是個作家，是一個藝術家。以作家身分談文學史，遂有作家的「Artistic Excuse」。同樣的例子，在所多矣。艾略特、米沃什、昆德拉、卡爾維諾、納博科夫……有誰真會用專業文學史家的眼光去苛求他們？我們讀這些作家述作的文學史，目的不在認識文學史，而在認識「他的文學史」。就像木心所講的母親說故事，說得好，會把自己說進去一樣，這類文學史述作好看的地方正在於他們自己也在裡頭。

所謂「在裡頭」，別有兩個意思。一個比較顯淺，是他們自己不循慣例、乾綱獨斷的見解。好比昆德拉的小說史觀，不只史學家不一定同意，說不定他頻頻致意的現象學家都不買帳。但那又怎麼樣呢？看他談小說的歷史，我們究竟還是看到了一種饒富深意又極有韻味的觀點。沒錯，這種文學史也是（並且就是）他們的作品。一個稍微講理的讀者絕對不會無理取鬧，從中強求史實的真理；果有真理，那也是 Artistic Truth，一個藝術家自己的真理。

「在裡頭」的第二個意思由此衍生：它是一位作家以自己的雙眼瞻前顧後，左右環視，既見故人，亦知來者，為自己創作生涯與志趣尋求立足於世的基本定向。如此讀解文學史，讀出來的是這位作者之所以如此寫作的由來，是他主動報上家門，是他寫作取向的脈絡，是他暴露「影響之焦慮」的底蘊。更好的時候，他還會藉著他的文學史道出他之所以寫作的終極理由。也就是說，大部分一流作者的文學史，其實都是他們的自我定位。《文學回憶錄》裡的木心便是一個在世界文學史中思索自身位置，進而肯定自身的木心。這就是木心的「文學回憶」，也是《文學回憶錄》中的木心。

二

屈原寫詩，一定知道他已永垂不朽。每個大藝術家生前都公正地衡量過自己。有人熬不住，說出來，如但丁、普希金。有種人不說的，如陶淵明，熬住不說。

具有這等企圖、這等雄心的中國作家，是罕見的，這是木心之所以是木心的原因。耐心的讀者或許就會慢慢明白：木心為什麼和「文壇主流」截然不同。他不但在談文學史的時候是個專業門牆的局外人；就算身為作家，他還是一個局外人。他「局外」到了一個什麼程度呢？剛剛在大陸出版作品的時候，大家以為他是臺灣作家，或是不知從哪兒來的海外作家；更早在臺灣發表作品的時候，那邊的圈子也在探聽是不是一個民國老作家重新出土；他竟然「局外」到了一個沒有人能從他的作品中讀出來處的地步，「局外」到了讓人時空錯亂的地步。

有些讀者感到木心的作品「很中國」，甚至要說它是「老中國」；不過你從今日大陸（所謂的中州正統），一直往回看到「五四」，恐怕也找不到類似的寫作。既然如此，為什麼大家仍然以為木心「很中國」？這裡的「中國」究竟是指哪個「中國」？另一方面，木心的文學實踐又非常西化、非常前衛。早在五十年代，他便在大陸寫過帶有荒謬劇況味的劇本；青年時期，更自習意象主義和超現實主義。於是我只好猜想，三、四十年代，以江浙一帶文脈之豐厚蘊藉，傳統經典既在，復又開放趨新，如無中斷，數十年下來，也許就會自然衍生出木心這樣的作家；但它畢竟是斷了。所以，一個不曾中斷、未經洗劫的木心才會這般令人摸不著頭腦。如今看來，一個本當順理成章走成這般的作家，居然是個局外人。雖說是局外人，但又讓人奇詭地熟悉，彷彿睽違多年的故人。如若強認他是漢語寫作的自己人，繼承了傳統正朔，那便只好勉強說他是「不得禰先君」，遠適異鄉，自成一宗的「別子」了。儘管，我不肯定眼下的主流到底算不算是漢語書寫的嫡傳。

三

《紅樓夢》中的詩，如水草。取出水，即不好。放在水中，好看。

《紅樓夢》裡的詩，是多少人解析過的題目，有人據此說曹雪芹詩藝平平，也有人說他詩才八斗。而木心這句斷語，也並非沒人講過，只是說不到這麼漂亮，這麼叫人服氣；「水草」，何等的譬喻，就這一句，便顯見識，便能穿透，正是所謂的「斷言」，無須論證，不求贊同，然而背後的識見，全出於其高超的

「aesthetic quality」，令人欣賞，乃至嘆服。

這就是木心，也只有木心，才會大膽說出這樣透闢的句子。他的作品，好讀難懂，難懂易記，因為風格印記太過強烈了，每一句說，自有一股木心的標識，引人一字一字地讀下去，銘入腦海，有時立即記住了某一句，回頭細想，其實還沒懂得確切的意思：於是可堪咀嚼，可堪回味。

與《紅樓夢》中的詩不同，木心的斷語，取出水面，便即「兀自燃燒」一起來。這一評價，本是劉紹銘教授形容張愛玲的名言。在我看來，現代中國文學史，木心是一位「金句」紛披的大家。但他的「火焰」，清涼溫潤，卻又凌厲峻拔，特別值得留意的是，他的一句句識見，有如冰山，陽光下的一角已經閃亮刺眼，未經道出的深意，深不可測。

## 四

本書的題目，叫做《文學回憶錄》，書裡的講述全部出自木心，然而這是陳丹青五年聽課的筆錄。很自然的，讀者會猜測，甚至追究：筆錄中的木心到底有多真實？又有多少帶著筆錄者的痕跡？不尋常的是，木心當初備有完整的講義，但他不以為用來講課的底本可以作為他的創作，因此，他在生前不贊成出版講義。自重自愛如木心，後人應當尊重他的意願。饒是如此，陳丹青出版筆記的用心，便如他所說，乃出於木心葬禮上眾多年輕讀者的懇求了。

但我們仍然面對著微妙的困境：木心不把講義視為他的文學作品，那麼，眼前這本《回憶錄》，還是他的書嗎？

熟悉歷史和文學史的讀者，應該明白，這個問題，是個「述」與「作」的問題，這個問題又古老，又經典。佛陀、孔子、蘇格拉底、耶穌，全都述而不作。他們的言論與教化全部出自後人門生的記錄。今人可以合理地追問：佛經裡的「如是我聞」，到底有多「如是」？「子曰」之後的句子，又是否真是孔子的原話？其中最著名的公案，當屬柏拉圖與蘇格拉底的關係。當年至少有十個跟隨蘇格拉底的學生記有「聽課筆錄」，唯獨柏拉圖《對話錄》影響最大，是今人瞭解蘇格拉底的權威來源。

好在木心既述又作，既作且述，生前便已出版全部創作。其風調思路，無須轉借陳丹青筆錄才能一窺全貌。這本《文學回憶錄》，無論敘述的語氣，還是遍佈全書的斷語、警句、妙談，坦白說，不可能出自木心之外的任何人。

在這部大書的前面，說了這些話，難免有看低讀者之嫌——木心從不看低讀者。倒是我所遇見的不少木心讀者，將自己看得太低。我至今遺憾沒有親見木心的機會，而他們崇敬木心，專門前去烏鎮探他，到了，竟又不敢趨前問候。想來他們是「把自己放得很低很低」了。要不，便是自我太大。遇到高人，遂開始在乎起自己如何表現，如何水平，生怕人家瞧不上自己。

你看木心《文學回憶錄》，斬釘截鐵，不解釋、不道歉、不猶疑。他平視世界文學史上的巨擘大師，平視一切現在的與未來的讀者，於是自在自由，娓娓道出他的文學的回憶。

# 開課引言

## 文學是人學

1989.1.15
在高小華家

古代、中世紀、近代，每個時代都能找到精神血統、藝術親人。

講完後，一部文學史，重要的是我的觀點。

我有我的能講。結結巴巴，總能講完，總能使諸君聽完後，在世界文學門內，不在門外。

我們講課，稱作學校、學院，都不合適。當年柏拉圖辦學，稱逍遙學派，翻譯過來，就是散步學派，很隨便的，不像現在看得那麼鄭重。

學林、全武，是籌辦者。平時交談很多，雞零狗碎，沒有注釋，沒有基礎，如此講十年，也無實績。很久就有歉意了，今年就設了這個講席。

以講文學為妥。文學是人學。

在座有畫家、舞蹈家、史家、雕刻家、經濟學家……應該懂的，應該在少年、青年時懂的，都未曾懂，未曾知道。中國的經濟問題、政治問題、文化問題，不用一個世界性的視野，無法說。

我講世界文學史，其實是我的文學的回憶。

世界文學，東方、西方，通講，從文學起源直到十九世紀。二十世紀部分，將來請劉軍、楊澤講英美文學。

講完後的筆記、講義，集結出版，題目是：《文學回憶錄》。在兩岸出版。這個題目，屠格涅夫已經用過，但那是他個人的，我用的顯然不是個人的，而是對於文學的全體的。

學期完成後，聽講者每人一篇文學作品，附在集後，以證明講席不虛，人人高超，有趣！我相信人人能寫出來。

聽，講，成書，整個過程估計是一年。目前粗訂三十多講。一個月講兩次，一年二十四次，看能不能一年講完。學費，古代是送肉乾。孔、孟……現在一人一小時十元，夫婦算一人收，離婚者不算（笑）。不滿十人，暫停；十人以上，繼續講。越二十人，好事，然而也有人多之患也。

古代、中世紀、近代，每個時代都能找到精神血統、藝術親人。一大半是知識傳授，並非談靈感，也不是文學批評。菜單開出來，大家選，我提供幾個好菜，不打算開參考書。

講完後，一部文學史，重要的是我的觀點。

綱目大約包括：

希臘神話、史詩、悲劇。羅馬文學。新舊約的故事和涵義。印度的史詩（中國不能代表東方。古印度，極其輝煌）。中國的《詩經》、《楚辭》。諸子百家。漢之賦家、史家、論家。魏晉高士（魏晉天才輩出。唐宋沒有那麼多天才。《世說新語》是中國知識分子最好的教科書），還有陶潛（我以為他是中國最偉大的文學家，文學境界最高，翻譯成法文，梵樂希〔Paul Valéry。編按：中國譯作瓦萊里）拜倒：這種樸素，是大富翁的樸素）。

以上古代。

還要講中世紀的歐洲文學、波斯詩人、印度和阿拉伯文學。當然，還有唐宋的詩人詞人、中國的初期戲劇、初期小說，還有中世紀的日本文學。然後回到歐洲，講文藝復興時代的文學。十七世紀的英國文學、法國文學。再回到中國，講中國的二期戲劇、二期小說。

以上中世紀（及十七世紀）。

再後來就多了：十八世紀的英國文學、法國文學、德國文學，以及南歐北歐文學。那時已到中國的清代，清代的小說上承明代文學，都要講。之後就是十九世紀的英國文學、法國文學、德國文學、俄國文學（包括詩、小說和批評）。兼帶講到十九世紀的波蘭文學，斯堪地納維亞文學，南歐文學，荷蘭、比利時文學，愛爾蘭的文學，還有美國文學。

晚清的中國文學、十九世紀的日本文學，也要講。最後，講一講新世紀，也就是二十世紀的文學。

綜合上述，雷聲很大，能講嗎？我有我的能講。結結巴巴，總能講完，總能使諸君聽完後，在世界文學門內，不在門外。

講完了，大家穿上正裝，合影。

〔編按〕

劉軍，現任加州州立大學洛杉磯校區英語系終身職教授。尼采、福克納等研究者。木心先生的好友，木心著作的英語版翻譯者。

楊澤，曾任臺灣中國時報副刊主編，專修西洋文學，臺灣著名詩人。八十年代留學紐約時期，也是木心先生的好友。

第1講

# 希臘羅馬神話（一）

朱庇特　阿波羅　邱比特　普羅米修斯　潘朵拉　點金術　俄耳浦斯

1989.1.29
在薄茵萍家

這種史前期希臘神話，是否定之否定，是獸性的，動物性的。被忽略的「史前期」告訴我們，人性是如何來的：有獸性的前科。

朱庇特大發雷霆，以洪水淹沒人類，只剩普羅米修斯兄弟。洪水退後，昔日的繁華城市，一片荒涼，忽聞空中有聲音道：撿起你們母親的骨，骨乃大地上的石塊，以石後擲，男得男，女得女。於是，第二次人類復生。

神話，是大人說小孩的話，說給大人聽的。多聽、多想，人得以歸真返璞。

# 文學源於戰爭勝利、祈求、勞動

先講一則寓言：

在萬國交界處有一片森林，林中有一個獵人定居，起木屋，僅能容納一人、一槍。有一年冬，狂風暴雨的黑夜，有人焦急敲門。開門，一位老太太迷路了，求躲雨。才安頓，又有人敲門，啟，一對小女孩，迎進來。頃刻門又響，啟，一位將軍出戰迷路，帶著數十個兵，於是迎進來……再有人來，是西班牙公主，攜眾多馬車……都要躲雨。雨終夜，屋裡有笑有唱，天亮了，雨止了，眾人離去。

什麼意思呢？只要心意誠，神祇就大，智慧更大。

文學怎麼會有起源？

人類某一樣東西的起源，很糟，很不光彩的。

文字以前，先有文學起源：有東西要表述。

古人類最大的快樂是什麼？唯物主義稱始於勞動，唯心主義稱始於性愛。都不然。古人類最大的快樂是戰爭勝利之後：打敗敵人，求生存，得延續，必有唱跳歡樂。久而久之，眾聲中和諧者，易牢記、易傳播，久而久之，詩出。

勞動是苦的，做愛是悄悄的，唯戰爭勝利是大規模的，開放的，故有聲，聲有歌，歌有詩。

其次，對神的崇拜是初民的精神生活。開初是為祈求，求必出聲，起先喃喃，後來高聲，再後來高唱，即禱詞。

不能否定勞動號子的作用，但那是實用的。

戰歌，禱詞，勞動號子。

文字用以記事，用以聯絡、傳播、命令、勸告……生存經驗要流傳，如戰爭、疾病、患難、災禍……造字者設計，刻字者出手工，後者不一定識字，前者就是知識分子。

小亞細亞出土的泥板字，是記錄公元前四千年的一次洪水。

巴比倫，亞細亞，始有楔形文字（在泥板上畫符號），直到埃及開始變化，出史書，頌神，讚美。出了書商，書隨人葬，漸漸不限於宗教拜神，開始記人、事、風情等等。

中國，自殷商時，有甲骨文，到周朝有竹簡，刀刻字。漢朝用絹帛、絲織品、縑帛。到東漢，蔡倫造紙，文字廣為傳播。漢末，蔡邕寫刻石經，刻石供拓，開印刷術先河。到隋唐，有雕版，宋以後，有活字版。

早期中國書簡笨重，以牛車載，到宋朝改蝴蝶裝。

印度古書稱《吠陀經》（*Veda*），指智慧，是印度聖經。在釋迦牟尼之前即有宗教，如耶穌之前也早有宗教。

印度經書刻在牛皮上。

希臘古書在腓尼基出，從埃及學到著作方法，漸有學校，以不學為恥。學習目的如中國，為了記帳、通信。漸漸出現行吟詩人，背誦荷馬史詩。亞歷山大城圖書館當時就有希臘書約七十萬本，後來被凱撒燒去很多。

## 希臘神話的史前期、希臘眾神

希臘神話。

我以為，希臘神話還有一個史前期。當時他們認為最初的最初，沒有宇宙，此說比有宇宙觀還難想像。希臘人認為有宇宙前，是一片混沌，無光，漆黑，類於莊子說，一片混沌。

希臘人給混沌起名卡俄斯（Chaos）。卡俄斯不應該是單身漢，便使他有妻子，名諾克斯（Nox），生子，名厄瑞波斯（Erebus），意思是「黑暗」。兒子一長大就謀殺父親，和母親成夫妻。

這就是史前期的表現：無倫，動物性。

他們不明不白地生了雙子，一子曰光明，一子曰白晝。這兩個兒子也打倒其父。此二子是男是女？不可考。只知他們又有子，名厄洛斯（Eros），即「愛」的意思（由此可以推想這二子為一男一女）。

厄洛斯創造了地、海、草、花木等等。「地」似乎更能幹，它也會創造，做出了「天」，蓋在自己身上，而且似乎就此做起愛來，也生子，又把厄洛斯推翻，在奧林匹斯山上造室，又生十二子，六子六女，名提坦族（Titans）。

如此代代弒父，結果凡是生了兒子，父親就把兒子送進地獄，母親急了，去教孩子們反抗父親，推最小的一個名叫克洛諾斯（Saturn，又叫薩吞，意思是「時間」）的做領袖，又將父親推倒。

這種史前期希臘神話，是否定之否定，是獸性的，動物性的。被忽略的「史前期」告訴我們，人性是如何來的：有獸性的前科。

下面要說的，是以朱庇特家族開始的希臘神話。怎麼會有史前期的獸性？因為人性還未成熟前，都有獸性。其他人類文明也如此，都有不文明的家譜。

希臘諸神。神性，是人性的昇華。人性未覺醒，自然一片混沌。

**朱庇特**（Jupiter，一名宙斯 [Zeus]）是宇宙最高的統治者，他的武器是雷電。其妻名朱諾（Juno，一名赫拉 [Hera]），象徵空氣，善嫉、搗亂。

**尼普頓**（Neptunus，一名波塞冬 [Poseidon]），海神。

**普魯托**（Pluto，一名哈迪斯 [Hades]），死神、地獄神、財富神。

**瑪爾斯**（Mars，一名阿瑞斯 [Ares]），戰神（希臘時期不重視瑪爾斯，羅馬時期好戰，奉瑪爾斯為主神）。

**伏爾坎**（Vulcan，一名赫菲斯托斯 [Hephaistos]），火神、冶煉之神，是跛腳，醜，卻是維納斯的丈夫（是故維納斯偷情，愛瑪爾斯）。

**阿波羅**（Apollo，又名福玻斯 [Phoebus]，或名艾略斯 [Helios]、少爾斯 [Sol]），太陽神，管九個繆斯，司藝術、音樂各種文藝，好箭術。

阿波羅的九繆斯：此九子乃為朱庇特與記憶女神謨涅摩敘涅（Mnemosyne）所生之子。如下：

一，克利俄（Clio），管歷史，頭戴桂冠。

二，歐忒耳佩（Euterpe），管歌唱、詩、樂，頭戴花環，吹笛。

三，塔利亞（Thalia），管喜劇、牧歌，頭戴野花冠，手持牧杖，有面具。

四，墨爾波墨涅（Melpomene），管悲劇詩，戴花冠，執短劍和權杖。

五，忒耳普西科瑞（Terpsichore），管舞蹈，手執七弦琴。

六，厄剌托（Erato），管抒情詩，執琴，古稱里奧（琴名）。

七，波呂許謨尼亞（Polyhymnia），管讚美詩歌，形象無象徵。

八，卡利俄佩（Calliope），管敘事詩。

九，烏剌尼亞（Urania），管天文學，手執算具。

**狄安娜**（Diana），月亮神。阿波羅的親姊妹，管打獵的神，貞潔之神，美極，獵裝，背箭袋，頭上戴新月冠，又名辛西亞（Cynthia）、塞勒涅（Selene）等。

**維納斯**（Venus），愛神、美神、歡樂之神，生於海洋的泡沫之中。

**邱比特**（Cupid），愛神，是維納斯和戰神瑪爾斯的私生子。終生不長大，生雙翅。維納斯怕其夭折，去問底美斯（Themis），答曰：「戀愛沒有熱情不能成長。」維納斯又生子，名熱情之神**安忒羅斯**（Anteros），邱比特即長大，成美少年。但離開弟弟後，他又變成孩童，頑皮不堪，蒙著眼睛亂射箭，意指愛之盲目。

**墨丘利**（Mercury，一名赫爾墨斯[Hermes]），風神、貿易神，商業、通訊之神。現在歐美的郵電局都以其為神，手執纏蛇杖，也生翅疾行，保衛旅行者、強盜和賊，從阿波羅處偷牛，被發覺，以物換，藝術與商業始自此。

**巴克斯**（Bacchus，一名狄俄倪索斯[Dionysus]），酒神、歡樂神、葡萄酒之神。尼采的悲劇精神即來自酒神精神。

**雅典娜**（Athene），和平神，智慧象徵，是朱庇特的女兒。有一天，朱庇特頭痛，請阿波羅醫，不果，請維納斯的丈夫伏爾坎以斧劈開朱庇特的頭，跳出雅典娜。自她出生，愚蠢永遠被趕出。

**潘**（Pan），山靈之神、牧神，人身羊角，有尾、有角。又名薩迪，會吹笛。

現代文學中他時髦，因為他是色情之神。德布西寫有《牧神午後前奏曲》（*Prelude a l'apres-midi d'un faune*）。

維斯塔（Vesta，一名赫斯提亞 [Hestia]），灶神。司火爐，家政之神，亦稱灶神，羅馬人愛吃，崇拜她。

普羅米修斯（Prometheus）——意為「前思」，Forethought，瞻前顧後。

厄庇墨透斯（Epimetheus）——意為「後思」，Afterthought，人類的創造者。

厄洛斯佈置起世界，草木、動物，由普羅米修斯兄弟以陶土作人，人的外形模仿神，由厄洛斯給與生命，雅典娜給與靈魂，普兄偷來火，以超越其他動物。

天神絕不肯給人類以火，普羅米修斯進入奧林匹斯山偷得火種，迅速飛下，人類即懂得如何用火，如何保存。

天神懲罰普羅米修斯，縛其於山頂，白天被鷹啄，傷口夜間生全，白天再被啄，夜再生，如斯。

人類得火，善，天上朱庇特不悅，創造一女人，潘朵拉（Pandora），做一壞事，出名。她與普羅米修斯之弟成夫婦，一日，墨丘利給一密匣，潘朵拉好奇，趁丈夫不在，打開，飛出憂愁、疾病、災難、悲傷、嫉妒……散佈人間，潘朵拉急關匣，只剩希望在內。

世有潘朵拉與匣子之喻，是為典故。墨丘利將希望鄭重送給人類，以補不幸。

人類分黃金時代、白銀時代、黃銅時代、黑鐵時代，與《聖經》、與中國，均相似。

金的時代不耕而獲，無為而治，銀的時代就耕者有其食了，銅的時代日子常感困苦，鐵的時代縱欲作亂，失去信仰，同類相殘，血染大地。

朱庇特大發雷霆，以洪水淹沒人類，只剩普羅米修斯兄弟。洪水退後，昔日的繁華城市，一片荒涼，忽聞空中有聲音道：撿起你們母親的骨，骨乃大地上的石塊，以石後擲，男得男，女得女。於是，第二次人類復生。大高興，酒後，造愛，生子，名赫楞（Hellen，即「希臘」），再生多子，成阿且安（Achaean）等族。

中國的女媧造人，用泥，《聖經》的耶和華造亞當，也用泥，與希臘神話中的築土拋石，均相似。

## 希臘眾神的韻事

希臘神話正文開始。極具人性，合理。

朱庇特，眾神之神，其武器是雷電。

朱庇特，眾神之神，常來人間。有一天在雲間見一美女，名歐羅巴（Europa），正在林間泉邊玩。朱庇特化成白牛，漸漸靠近美女，美女套花環於牛，牛跪，女騎，牛走，劫歐羅巴於海上，至陸地，還形，與女愛，生三子，那塊陸地就成了歐羅巴。

這種心理描寫很對：人見到初愛的人，從不直接趨前……。

朱庇特與人間美女希梅爾（Semele）生巴克斯。巴克斯有教師西勒諾斯（Silenus），半人半羊，永遠跟隨著。巴克斯有車，以豹獅拉車，教師騎驢車，車上盡是美人、美食。旅程超越希臘，遠至亞細亞、印度，長期漫遊。教師曾與學生迷失，迷路到里底亞國王邁達斯（Midas）的宮殿裡，國王邁達斯把他送回，巴克斯感謝國王，詢他可有所願，邁達斯願得點金術，巴克斯即賜之。

邁達斯回宮後立行施術，凡手指觸及者，倏成黃金。設盛宴，桌布、杯盤、肴漿、美酒都成黃金，賓主餓得不歡而散，邁達斯奔謁巴克斯求解，巴克斯領他去帕克托勒斯河（Pactolus）洗手，洗了很久，得解法術，故河底沙泥至今含有黃金。

一日，巴克斯見一嬌豔美女阿里安（Ariadne），獨自哭泣，因其情人在其睡時離去。巴克斯安慰她，阿里安笑，美極，巴克斯起愛，相愛，結婚，禮極盛，婚後阿里安死，巴克斯拋擲阿里安常戴之花冠於天際，成今之阿里安星座（北冕星座）。

尼采的阿波羅精神、巴克斯精神，前者觀照、理性、思索，後者行動、歡樂、直覺、本能。

人類的快樂，不是靠理性、電腦、物質，而來自情感、直覺、本能、快樂行動。

凡永恆偉大的愛，都要絕望一次，消失一次，一度死，才會重獲愛，重新知道生命的價值。

阿里安因情人走，知道巴克斯更好，巴克斯因阿里安死，更知其可貴。

神話，是大人說小孩的話，說給大人聽的。多聽、多想，人得以歸真反璞。

中國神話，好有好報、惡有惡報，太現實。神權、夫權、誰管誰，滲透神話，令人懼怕。

希臘神話無為而治，自在自為。

阿波羅不安於天，也常來人間。但不似巴克斯行為，而來驅害，曾射死一劇毒蛇。阿波羅返天途中，見邱比特（美神維納斯之子）。邱比特在玩自己的弓箭，並笑阿波羅，說：「你的箭可以射蛇，我也要射你。」於是取箭（箭有金箭，愛。鉛箭，拒愛）射，阿波羅中金箭，達佛涅（Daphne，河神 [Peneus] 之女）中鉛箭。阿波羅愛達佛涅，達佛涅拒絕。

阿波羅愛達佛涅，稱其散髮美，束髮將更美（俗世，未婚女散髮，婚後束髮，維納斯束髮）。

阿波羅跟達佛涅走，達佛涅逃，比風快。阿波羅是大神，窮追，一邊柔聲道：「停吧，勿怕，我要愛，你別因逃而跌，我是朱庇特之子，我歌美，我箭利，但我被另一種箭中，無法治，是中箭之病子，憐我，停！」

達佛涅不聽，逃，如風，秀髮飛舞，最後，達佛涅的頭髮已觸及阿波羅的鼻息，達佛涅叫：「父，使地裂！」達佛涅變成樹，身體變樹幹，頭髮變樹葉，全變了。阿波羅撫樹，仍暖，抱樹，吻，樹掙扎，不肯。阿波羅哭：「你不成我的妻，要成我的樹，汝葉做我冠，我是太陽神，汝不會枯。」樹成月桂，成阿波羅的桂冠。

故阿波羅以肉身之愛追求形上之愛。

阿波羅，太陽神，司藝術、音樂各種文藝，管九個繆斯。

俄耳浦斯（Orpheus），阿波羅與九繆斯之一所生之子。管敘事詩是卡利俄佩，常作詩，與阿波羅日久生情，生子。俄耳浦斯承其父音樂天才，其母詩歌天才，琴歌起，動物、植物均被感動。

這是藝術家的象徵。在畫中，人多與獅和羊一起安然共聽俄耳浦斯彈奏——這是人類的理想。

俄耳浦斯戀愛了。對象是歐律狄刻（Eurydice），俄耳浦斯唱歌，歐律狄刻伴奏。一日，歐律狄刻在林中採花，被毒蛇咬，只來得及叫「俄耳浦斯」，即死。俄耳浦斯其時在遠處，琴斷，弦出聲即歐律狄刻的叫聲。

朱庇特說，已死，汝去地獄找歐律狄刻。獄門口有三首犬，兇，無人可以智力、武力與俄耳浦斯通融。俄耳浦斯彈琴，馴服三首犬，得入，此前沒有活軀入地獄。俄耳浦斯到普魯托（死神）面前，求攜歐律狄刻還生。普魯托同意了，但警告他說：若在歸途中，夫必在前，妻必在後，不得回視，答應，就放人。俄耳浦斯口頭應了，囑道：男前女後。女說：你若救我，為什麼冷酷，不回首看我？歐律狄刻懇求再三，俄耳浦斯回頭，歐律狄刻驟失。俄耳浦斯獨出，不復彈琴。

俄耳浦斯，至地獄救妻，歸途中，妻必在後，不得回視。
俄耳浦斯回視，妻驟失。

酒徒怒，殺死他，擲於池。屍體肢解，口中呼妻名，岸上留其琴。天取去，成星宿，稱俄耳浦斯星座（天琴座）。

這位世界上最偉大的詩人兼音樂家還會再來嗎？我以為不復再返，只能零零碎碎地活在地上的藝術家身上。莫札特、蕭邦，就是一部分的俄耳浦斯——莫札特是俄耳浦斯的快樂、和平、祥瑞、明亮的一面，蕭邦是憂傷、自愛、憚念、懷想的一面。

狄安娜，貞潔之神。一夜無雲，巡於空，忽勒馬止步，見一牧童熟睡。沐月光，美極。狄安娜動情，下降，細看，更美，傾嗅其息，有芳草氣，得其體溫，狄安娜動吻，少年恩底彌翁（Endymion）醒覺。翌晚，狄安娜復來，復吻少年，夜夜如此。起憂，如此久往，少年將老，於是狄安娜使少年永睡，使其永得愛。

狄安娜還愛過另一人間少年俄里翁（Orion）。俄里翁常攜狗狩獵，見狄安娜之侍女。侍女們見俄里翁來，即化白鴿飛去。後俄里翁愛某公主，被要求立功，俄里翁不耐，欲搶公主，不遂，獲捕，剜目失明。流浪，得貴人救治，時遇狄安娜，同獵，相愛，形影不離。阿波羅得知，以為狄安娜如此不當，欲與狄安娜比箭。狄安娜誤為阿波羅所騙，射死了俄里翁。狄安娜大悲，升俄里翁為星，在月旁，另一小星，為俄里翁之小狗（獵戶座）。

維納斯，風流，花樣多。她的丈夫是鐵匠，維納斯愛上人間的阿多尼斯（Adonis）。阿多尼斯好獵，維納斯不放心，勸其留，少年不聽，終於在獵中受傷。維納斯前往，途中被荊傷。及至，阿多尼斯已死。維納斯哭，哀痛日深，求朱庇特眾神。普魯托允阿多尼斯復活六個月，與維納斯相會，每年早春，阿多尼斯出見維納斯，六月後返地獄。

有人說阿多尼斯象徵春天，維納斯象徵愛。

一美女普塞克（Psyche）受崇拜，幾乎超越維納斯。維納斯嫉妒，命子邱比特去殺普塞克。及至，驚豔，愛上了普塞克，不忍殺。維納斯在浴室設計折磨普塞克，普塞克欲跳海死，被邱比特救，另一神西風（Zephyrus）托著普塞克飛至遙遠的島，有皇宮、花園。晚邱比特隱形顯聲往會普塞克，普塞克感動，應了邱比特的愛。邱比特說，若妳真愛我，勿問名、勿看形。普塞克同意。邱比特說，若不守信，我不再來。又應。夜歡好，天亮後邱比特去，日日夜夜會，唯聲，無形。

終一日，普塞克說她思念兩位姊姊，想見，邱比特同意。普塞克得以見姊姊，談及邱比特，姊妒忌，稱何以愛無形。姊姊使其藏刀於床，試見邱比特，或殺之。是夜，普塞克與邱比特歡愛後，邱比特睡去，普塞克提燈照，驚其美少年，燈油滴邱比特肩，邱比特消失，因普塞克失信。世稱不誠實，無愛。普塞克自殺了，河神還其生，四處流浪，不見邱比特。維納斯令其勞動，又令其到地獄取一匣，好奇開匣，乃睡眠之神，抱普塞克，普塞克睡去。邱比特見，救普塞克，吻，使其醒，飛上天，見眾人，維納斯允其成婚。

希臘也崇拜人間英雄。大力士赫拉克勒斯（Heracles）不是神，是英雄，或可稱半神。他是朱庇特與人間公主阿爾克墨涅（Alcmene）所生之子，神后朱諾嫉，放毒蛇咬嬰，赫拉克勒斯在搖籃中擰蛇死，神后知道不能再害他，待其長大，令其歷險，一生不得快樂。途見兩婦，一是善神，一是惡神，要做保護神。赫拉克勒斯取善做保護神，從此一生所為者善。後與公主婚，生三子，神后仍嫉，使赫拉克勒斯發狂，弒妻與三子，後進院修道，安心。

赫拉克勒斯，大力士，嬰孩時便捏死神后要害他的毒蛇。及長除十二害。

不久，通訊神墨丘利令其服苦役，實為除十二害：殺獅、殺七頭蛇、逮金角銅足鹿、殺野豬、清牛廄、擒發狂的牛、以色雷斯王之身餵馬、取某公主寶飾、毒箭射惡鳥、驅神牛、得西方之神的女兒們的金蘋果、牽出地獄門口的三首犬。

赫拉克勒斯殺獅取皮圍身，斬七頭蛇，以鐵烙封口，使不得長。逐至北方得鹿，殺野豬，誤殺馬身獅、後使馬身升天，為天皇星。清牛廄、將兩清溪回復原位，得逮住狂牛。以色雷斯王之身餵馬、牽回馬群。到吵架國（Amazons），全是女人，抱寶飾而去。以毒蛇血之箭射惡鳥。赫拉克勒斯遍尋金蘋果不得，人勸其問普羅米修斯，赫拉克勒斯上高加索救出普羅米修斯，普羅米修斯也不知金蘋果在何處，稱一神（阿特拉斯〔Atlas〕，以肩頂天者）知，得見，神稱：你代我肩天，我去取。赫拉克勒斯肩之，神往取得金蘋果，仍要赫拉克勒斯肩天，才送他金蘋果。赫拉克勒斯允，稱只需肩有墊。阿特拉斯信，復肩天，赫拉克勒斯取果而走，阿特拉斯在後呼喚。守望地獄的三首犬也得。十二件工作都已完成，赫拉克勒斯遂自由，殺人，結婚，漫遊，復戀愛。最後因情敵染有毒血之袍，著身而暴死。

赫拉克勒斯象徵白晝，嬰孩時，即縊死黑暗的蛇，終生勞苦無止息，那十二件大事，或指黃道十二宮，或指一年十二個月，或指白晝的十二時。

希臘眾神之上，有一命運，諸神無可抗拒，為歷來思想家承認。

第2講

# 希臘羅馬神話（二）

美杜莎　佩耳修斯　忒修斯　金羊毛　伊底帕斯　那耳喀索斯

1989.2.12
在薄茵萍家

將宗教作宗教來信，就迷惑了；將哲學作哲學來研究，就學究了；將藝術作藝術來玩弄，就玩世不恭了。原因，就在於太直接，是人的自我強求，正像那耳喀索斯要親吻水中的影。

整個希臘文化，可以概稱為「人的發現」；全部希臘神話，可以概稱為「人的倒影」。妙在倒影比本體更大、更強，而且不在水裡，卻在天上，在奧林匹斯山上。

希臘神話是一筆美麗得發昏的糊塗帳。因為糊塗，因為發昏，才如此美麗。

上次講希臘諸神家譜。今天講半人半神的故事，或悲劇，或戀愛。常見美杜莎（Medusa），蛇髮女怪，被佩耳修斯（Perseus）砍頭。佩耳修斯是朱庇特與達娜厄（Danae）生的兒子，半人半神。

希臘由男巫、女巫傳達神意。在古代，巫是僅次於神的有特殊職能的人。以後聽到「巫」字，不必反感。稱你有「巫性」，乃聰明之意。

## 佩耳修斯取美杜莎首級救母

達娜厄囚於塔，朱庇特與她戀於塔頂，生佩耳修斯。後被發覺，母子被關進木箱內，棄於海。入海後，母抱子哭，禱，後被救，住塞里福斯島。佩耳修斯長大成人，金髮垂肩，美男子。島上有國王，名波呂得克忒斯（Polydectes），一見達娜厄，驚為天人，欲娶，達娜厄不允，國王強逼。佩耳修斯不使國王搶占其母，國王出計，稱：不娶汝母，可以，汝需做一事，得美杜莎首級。美杜莎有三個姊妹，她最小，姊極醜，美杜莎最美，暗室終年，求雅典娜移往南部陽光地。不遂，美杜莎怨恨，觸怒雅典娜，雅典娜使美杜莎的美髮變成蛇，成復仇女神象徵，並命令：誰要是正面見到美杜莎，將成石像。

佩耳修斯正要去取其首級。難甚。諸神助佩耳修斯，地獄死神普魯托借其頭盔，風神墨丘利借其飛輪，雅典娜供其盾牌。

佩耳修斯一路找三女巫問路，三女巫合用一眼、一鑿（牙齒），佩耳修斯用計偷得了她們的眼睛和牙齒，逼其說，遂道出美杜莎地址，佩耳修斯尋得。

其時美杜莎在睡覺，佩耳修斯近其身，背對美杜莎，以盾作鏡照美杜莎，一刀去其頸。攜顱飛去，一路血滴非洲，成毒蟲，滴海，成飛馬，由海神波塞冬駕馭。歸途上歷險種種，還看見阿特拉斯因永負天空而疲勞愁悶，臉色灰白。阿特拉斯求佩耳修斯：我累極，你將美杜莎的首級正面對我，使我變成石頭吧。佩耳修斯允，正美杜莎首級對阿特拉斯，成阿特拉斯山。

到海邊，佩耳修斯又見一少女被鎖在岩石上，那是安德羅墨達公主（Andromeda）。因其母（皇后卡西俄佩亞 [Cassiopeia]）誇耀容貌勝仙女，於是海

美杜莎，觸怒雅典娜，一頭美髮因而變成蛇，且正面見到美杜莎，將成石像。

中躍出大海怪，各處吞吃人畜。神巫告知，必以安德羅墨達公主送海怪食，才能罷休。母親只得送愛女到岩石。其時佩耳修斯正見海怪爬上欲吃公主，佩耳修斯殺海怪，舉城歡慶，皇后嫁公主與佩耳修斯。

回國時，正值達娜厄受逼，佩耳修斯大怒，舉美杜莎首級，正面對準敵人，使暴君奸臣都成了石像。

我常對希臘神話產生宿命的看法，即希臘諸神之上，總有一個最高的命運。悲劇都寫命運，人的反抗毫無用處。既然如此，為什麼希臘精神如此向上、健康？

悲劇有淨化作用。從現代觀點看，牽涉東方命運觀，為什麼不問誰主命運？中國算命，可卜生死，但從未有人問：誰決定命運？

希臘命運之說，通而不通。希臘命運說，中國命運說，都沒有勇氣探索誰主命運。

可作思考題。

## 忒修斯取劍尋父除妖

忒修斯（Theseus）是雅典王埃勾斯（Aegeus，也譯作愛琴士）之子。雅典王少時航海，與某國公主成婚，生忒修斯。埃勾斯因事要回國，回國前將自己的劍放在石下，對妻說，如兒子長大，能挪石，取劍，認，否則不認。

忒修斯長大，母令移石，果然移動，得劍，往尋父。路中遇冶煉之神伏爾坎，其子專以巨棒殺旅人。忒修斯乃英雄，殺其子，得棒。又遇惡棍，也殺之。又遇大盜，常在海邊請人助其洗腳，然後推人入海，忒修斯再殺之。

殘酷巨人普羅克汝斯忒斯（Procrustes）的故事，後世經常引用：他是旅館主，客來，置一長床、一短床，長人來，請睡短床，鋸其腿，反之則強使其肢體拉長以就床，故來客均被弄死，忒修斯乘其不備，捉住他，使之並嘗長短兩床的痛苦，除了大害——哲學家、文學家常以此典諷刺政治弄人的極不合理。

最後忒修斯到雅典，聞悉父親娶了巫女美達（Medea）。美達已知忒修斯是愛琴士的兒子，恐他奪她兒子的王位，便做毒酒一杯，要國王賜客，國王正捧杯，瞥見忒修斯佩劍上有自己的名字，知是兒子，父子擁抱，毒酒傾覆，狗一舔，便死。美達敗露，駕魔龍車逃走。

雅典曾被克里特（Crete）戰敗，戰敗後約定每年必須供七男七女給一牛頭人身之妖吃掉，妖名彌諾陶洛斯（Minotaur），專吃少男少女，作惡多端。克里特人以為事出神命，不敢加害彌諾陶洛斯，只能消極限制巨怪，故請建築師代達羅斯（Daedalus）為他造一座迷樓。迷樓精巧，彌諾陶洛斯一進去就出不來，但建築師代達羅斯自己進去後，也出不來了。

其子伊卡洛斯（Icarus），聰明勇敢，同蓋迷樓，與父同迷，數晝夜，不得出。以草圖相對也無效。伊卡洛斯對父親說，唯飛出。於是找鷹的羽毛，以蠟合成，附身，試飛成功，終飛出。

父親囑咐：兒子，勿飛高，為太陽光熔；勿飛低，為海所淹沒；中間層飛，最好。（中國中庸之道）。

兒不聽，直飛太陽，日光熔蠟，翅脫，伊卡洛斯落海，死，成伊卡洛斯海（Icarian）。

彌諾陶洛斯仍在迷樓，終日喊叫，仍食七男七女維生。忒修斯以為不行，欲除怪，主動列入每年十四位祭祀的男女之中。其父說：去，死掛黑帆；若成功，掛白帆，使我知道你勝利返（華格納歌劇曾用此說）。忒修斯到了克里特，公主阿里安憐惜，賜他一刀、一線球，囑咐將線的一端縛於迷樓門柱，一路進，一路放線，以便循線而出。忒修斯進迷樓，一路見少男少女白骨累累，最後忒修斯殺怪成功，循線出迷樓，阿里安嫁忒修斯。

阿里安與丈夫回歸雅典，船抵一美麗島嶼，阿里安上岸散步，睡著了。忒修斯已對她厭倦，逕開船走。阿里安醒來不見船，大哭，酒神巴克斯見了，極力安慰她（戀愛故事見前述），忒修斯的惡行遭到懲罰，船近雅典，忘了掛白帆。其父親每天望海，見歸船不掛白帆，以為兒子已死，投海自殺。後人以他的名字稱呼海——愛琴海（Aegean Sea）。

忒修斯知父親為他死，乃遺棄阿里安的懲罰。出國漫遊以忘愁苦（西方人以漫遊忘憂）。忒修斯出國漫遊，到某地重遊，與當地女王相愛，生子，攜妻女回到雅典。該國恨忒修斯騙走女王，興師來攻，女王中箭，死在丈夫臂彎。忒修斯以後成為專制暴君，人民反，逼他退位，送到某島，終被民推到海中死。後雅典人又念他好，為他造了一座著名的廟，紀念他。

## 金羊毛的象徵

西方人說：「去取金羊毛。」金羊毛表示稀有、珍貴。

此典出希臘神話。

有人名伊阿宋（Jason）。家變，被父親托給人身馬首神教養。及長，被告知其父為王，其為小王。伊阿宋欲報仇，搶回王位。

路遇老嫗，助過河，原來老嫗是朱諾，宙斯的正妻，朱諾允做其保護神。伊阿宋要取金羊毛，困難，想做英雄，王使其去，知必死。最後殺死管金羊毛的巨龍，取得金羊毛。

金羊毛的故事何以有名？原來史學家認為這是希臘第一次航海紀錄，商業遠航。金羊毛，即東方的財富象徵。

## 阿塔蘭忒與愛慕者的競賽

美麗的阿塔蘭忒（Atalanta），阿卡狄亞（Arcadia）國王伊阿索斯（Iasus）的女兒，王后懷孕時，帝望生子，見是女兒（阿塔蘭忒），將孩子放逐荒山，由她自己死。母熊憐之，餵奶，阿塔蘭忒吮熊奶長大，強健，飛跑。卡呂冬國（Calydon）祭神，規模很大，不幸忘了祭獵神（月亮神）狄安娜。狄安娜氣極，派出大野豬橫行，吃人與家畜。卡呂冬國女王阿爾泰亞（Althaea）招募勇士擒野豬，阿塔蘭忒也被徵召。圍獵中，她射中野豬，立頭功。卡呂冬國王子墨勒阿革羅斯（Meleager）趕上去殺死野豬，將豬皮獻阿塔蘭忒。墨勒阿革羅斯的兩個舅父不服，說：阿塔蘭忒僅射中，殺死野豬的是你。吵起來，王子殺兩個舅父。

當初女王生王子墨勒阿革羅斯時，命運之神曾昭示：王子的生命與壁爐中燃木的生命同長久。女王聽後立即取出木棒，包好，保存起來。後女王見子殺舅，大怒，取出木棒，投入壁爐，燃盡，墨勒阿革羅斯死。母悲悔，自殺。

阿塔蘭忒回父親處，父見其健壯，有功，帶回豬皮，因無子，認女兒，收留，極愛。

少年慕阿塔蘭忒美、健強，求婚。阿塔蘭忒說，誰與我競走，快，我便嫁，慢，殺之。於是多少可愛的少年死。終於有少年彌拉尼翁（Milanion）出，快走，美貌，持三個金蘋果。走時，見阿塔蘭忒近，扔一蘋果，趁其揀，快走前，終勝，與阿塔蘭忒成婚。

彌拉尼翁由維納斯保護，樂而忘維納斯，維納斯便使一對新人變為獅子，去駕地神西布莉（Cybele，一譯作庫柏勒）的車。

希臘神話真是美麗而糊塗！

## 伊底帕斯，弒父、娶母的命運

伊底帕斯，悲劇。Oedipus，典型之命運悲劇，至今在全歐上演。

伊底帕斯（Oedipus）乃國王與王后之子。神預言他將弒父，娶母。國王驚，要侍臣攜嬰至山中殺。侍臣及林中，不忍殺之，棄之而返。

牧羊人聞嬰兒啼哭，抱回，到科林斯（Corinth）。國王波呂玻斯（Polybus）

伊底帕斯，破解了喜歡刁難路人的斯芬克斯的謎語，因而為王，並誤娶了自己的母親為皇后。

正苦無子，見棄嬰，喜愛，收養，取名伊底帕斯，成長於科林斯國。及長，遇醉翁，告知其非科林斯國王的親子，自外國來。問母，母支吾。問神巫，說：你將來弒父，娶母，國將大亂。你的命運無法逃避。伊底帕斯悲傷，離國，流浪，發誓永不見父母。

途中見車，車中有老人，圍兵驅趕伊底帕斯，極粗暴。伊底帕斯與之爭鬥，並殺車中老人，不知老人正是他父親，其時正微服出征。

到底比斯城，民爭說國王在路中被殺。又傳有妖怪，獅身、有翅、女人臉，名斯芬克斯（Sphinx），不做好事，蹲在路邊，以謎語刁難路人，不能答，或錯，便吃之，因地處要津，被食者眾。

伊底帕斯看輕自己的命，自告奮勇去除此害，並允諾，若成，為王。斯芬克斯出謎：幼四腳，長兩腳，老三腳。伊底帕斯稱，是人：幼時爬，長時走，老了拄杖。斯芬克斯大驚，逃，被伊底帕斯推下山死。回城凱旋，舉國歡呼，伊底帕斯成了國王，娶母成皇后，生二子二女。

某年瘟疫流行，國將不國。每遇此災，如古代中國一般，要下罪己詔，即國王自己出來認罪。其時有巫說，要逮到殺前君之兇手，正法，才能滅災。最後查出兇手乃今之國王，最初帶嬰孩入山的侍臣，也承認孩子沒死。

至此真相大白。皇后無顏活，自殺。伊底帕斯大痛悔，自剜雙眼，孤零零離皇宮，到處行乞。其女仍愛他，到林中喚父，隨父同流亡。其時雷電交加，父勸女走，女復尋父，父不見，傳為雷電擊，下地獄，受永遠的懲罰。

## 著名的戀愛故事

再講幾個著名的戀愛故事。

維納斯，愛神，喜見美麗真誠的人結合。有一女郎叫赫羅（Hero），美麗。父母獻赫羅給維納斯，進廟做女尼（希臘每神有廟）。廟孤立於海，僅老奶媽伴。赫羅一天天美麗，雖孤立於島，美名遠播。美少年林達（Leander），想見美女尼，趕來，值赫羅在辦維納斯的祭禮。林達望之目眩神迷。維納斯以子邱比特之箭射中二人，林達鼓起勇氣向赫羅說話，赫羅也中箭，說：你說的，即是我想說的，若你愛我，晚上即來我居之塔。林達欣喜若狂，及夜臨，入海游到島上，赫羅執火炬迎候，相擁入塔。林達不捨離去，此後天天游到島上，赫羅天天執火候。奶媽蒙然不知。夏季過，希臘無秋，冬至，一日早晨，赫羅見風浪太大，勸林達不要回去，林達笑答，晚上一定來，結果海浪更凶，林達不顧一切游向愛人，終被浪吞沒。臨死呼：「赫羅，我來了！」赫羅舉著火炬徹夜等候，至晨，見林達屍，悲，跳入大海，擁抱著林達死去。

這神話簡單，然而動人。

男女孩為鄰，相好。兩家父母爭執，不許他們通音訊。維納斯使其壁有洞，每日以洞凝視、談話、接吻。一日，約在城外大白桑樹下見，女不見男，悵，聞草動，原來是獅。獅出，跳叫，女逃，獅把面紗扯得粉碎。男至，不見情人，卻看見獅的足跡和丟棄的紗巾，絕望而自殺。女回，見情人蒙面紗而死，從男子胸口拔出刀來，自刺其心而死。

桑果原為白色，染情人血，轉成紅色。

普羅克里斯（Procris），女。刻法羅斯（Cephalus），男。刻法羅斯為一獵者。普羅克里斯為月亮神丫頭，有精靈獵犬，好鏢槍。兩人成婚。黎明女神厄俄斯（Eos）愛上刻法羅斯。刻法羅斯不愛。黎明神嫉妒，挑撥。每夏中午，刻法羅斯在蔭處息，愛涼風吹體。黎明神挑撥普羅克里斯，稱其夫有情人，在林中。普羅克里斯往見，見刻法羅斯張美臂，喚：「來吧來吧，涼風！」普羅克里斯誤以為涼風為人名，暈倒。刻法羅斯聞聲，以為獸，投以鏢槍，中，乃知妻。奔去，妻臨終問何故，刻法羅斯解釋，妻一笑而死。

希國國王兼雕刻家皮革馬利翁（Pygmalion），雕出一理想女人，名之曰伽拉忒亞（Galatea），每晨昏往招呼。雕刻家是獨身主義者，維納斯不以為然，恨其不成婚，卻遇皮革馬利翁求維納斯：「我能愛我的石像嗎？」維納斯高興，要他回，撫摸石像，仍冷。雕刻師知道不夠完美，加工，終於體溫熱，嘴唇紅，終可抱下，成婚。

那耳喀索斯（Narcissus），獵人，非神，美少年。有仙女名厄科（Echo），囉嗦女神，迷那耳喀索斯，話更多。那耳喀索斯初與之聊，後不耐，逃，逃姿美，厄科更迷，追。那耳喀索斯不知自己美，厄科知道，求維納斯懲罰他。厄科因愛憔悴，憔悴而死，形逝，僅餘聲，模仿人聲的尾音，故成回音女神。

懲罰開始了。一日，那耳喀索斯獵後，熱，渴，至清泉，捧水喝，見水中有美容看他，極美，無人可比擬，四目相視，默認，笑。那耳喀索斯伸手摸臉，臉消失。靜候水平，臉復現，更美。臉現狂喜，那耳喀索斯欲擁抱，輕輕俯身水面，觸水面，形復逝。那耳喀索斯只得守在水邊，默視。久，病而倒地，又去水邊，又見美容，有巧笑。那耳喀索斯決心不撫，不擁，不吻，永默視水中美容。他守水邊，黑夜不見，晨復現，終年如此，那耳喀索斯守影憔悴而死。維納斯憐其身死，變其為水仙花，佇立水中。

## 希臘神話即「人的倒影」

在我看來：

彌諾陶洛斯，象徵欲望。建築師代達羅斯，即製造迷樓者，象徵制定倫理、制度、道德、條例者。迷樓，象徵社會，監囚人，人不得出，包括婚姻、法律、契約。在社會中，人進入店，見食物，不能拿，因沒有錢，拿即犯法。動物見食

那耳喀索斯，受到維納斯的懲罰，迷戀自己水中的倒影，終至憔悴而死。

便吃。建築師也出不來，作法自斃。

唯一的辦法是飛。飛出迷樓。藝術家，天才，就是要飛。然而飛高，狂而死。青年藝術家不懂，像伊卡洛斯，飛高而死，他的父親是老藝術家，懂。

我曾為文，將尼采、托爾斯泰、拜倫，都列入飛出的伊卡洛斯。但伊卡洛斯的性格，寧可飛高，寧可摔死。

一定要飛出迷樓，靠藝術的翅膀。寧可摔死。

欲望，是要關起來，現代迷樓，更難飛出，需要更大的翅膀。

梵樂希文，將水仙比作女性，作《水仙辭》，意即賦予女孩的自戀、貞潔。第一句美極了，傳誦一時：

你終於閃耀著了麼？我旅途的終點。

紀德解釋那耳喀索斯，解釋得好。大意是，那耳喀索斯是人的自我，在時間的泉水裡發現了映影，這映影，便是藝術，是超自我的自我。藝術不能完成真實，不能實際占有，只可保持距離，兩相觀照；你要沾惹它，它便消失了，你靜著不動，它又顯現。

我覺得藝術、哲學、宗教，都是人類的自戀，都在適當保持距離時，才有美的可能、真的可能、善的可能。如果你把宗教當做哲學對待，就有了距離，看清宗教究竟是什麼；如果你把哲學當做藝術對待，就有了距離，看清哲學究竟是什麼；如果你把藝術當做宗教對待，就有了距離，看清藝術究竟是什麼——我的意見是，將宗教作宗教來信，就迷惑了；將哲學作哲學來研究，就學究了；將藝術作藝術來玩弄，就玩世不恭了。原因，就在於太直接，是人的自我強求，正像那耳喀索斯要親吻水中的影。而那耳喀索斯是智者，一次兩次失敗後，不再侵犯自我，滿足於距離，純乎求觀照，一直到生命的最後。可見「禪」，東方有，西方也有，換個名稱就是「悟」，徹悟，悟又從「迷」來，不垢不淨，不迷不悟。那耳喀索斯就因為一度伸手觸撫，又一度俯唇求吻，才使他過後保持不飲不食，不眠不動，在時間和空間裡證見自我，這就是人類的自我。

整個希臘文化，可以概稱為「人的發現」；全部希臘神話，可以概稱為「人的倒影」。妙在倒影比本體更大、更強，而且不在水裡，卻在天上，在奧林匹斯山上。

整個人類文化就是自戀，自戀文化是人類文化。人類愛自己，想要瞭解自己。人類愛照鏡子，捨不得離開自己。

動物對鏡子不感興趣，只有人感興趣。

女子時時攬鏡自顧。男子、士兵、無產階級，也愛照鏡。

那耳喀索斯的神話，象徵藝術與人生的距離。現實主義取消距離，水即亂。這是人生與藝術的宿命。藝術家只要能把握距離到正好，就成功，不分主義。

人沒有長牙利爪，沒有翅膀，入水會淹死。奧運會要是給動物看，動物哈哈大笑。奔走不如動物，游弋不如魚，但人主宰世界，把動物關起來欣賞。

人類無能，又有哈姆雷特特點，好空想，To be or not to be。

早先初民的智能，以為風吹孩子，風就是父親，以為火苗就是野獸，以己度人、度世界。早古人類的疑問，是自問自答，因無人回答，故神話以人類自問自答的方式流傳，人格化。此即神話之前的文學雛形。再早，是口傳，好則留，壞則不留。到現代、近世，傳播出版發達，卻相反，壞的容易傳播，好的不易流傳。

人類文化的悲哀，是流俗的易傳、高雅的失傳。

諸事業以神一以貫之，以其神聖，人類會自設一種意志——女神——管束自己。此中有剛愎自用一面，也有卑怯懦弱一面。這是人類的兩重性。

後世人引以為安慰的民歌，世界各地傳播，大致相同。人種學家說，很多族人，印度、日耳曼、高盧、斯拉夫等等，全出自一種族，叫雅利安族（Aryan）。奇怪，之所以藝術有世界性，是人有本質的同一性，甚至影響到動物，如人與狗的關係，此中即人性。此也是藝術所以能發生感動。

古代只有文學，沒有作家，個人完全湮沒。洞窟壁畫，從不簽名。我羨慕無為的不簽名的時期，瀟灑，那時藝術沒有瀟灑這個詞。

那時哲學家不寫書，學生記下，宗教家更如此，由弟子傳。蘇格拉底從來沒有用筆寫下東西。孔子也無緣可考寫過東西。老子也不寫，逼了，才寫（過關時）。耶穌、釋迦牟尼，都不寫東西。荷馬是文盲、盲人。

古文化是這樣地結結巴巴傳下來的。

人類文化糊裡糊塗傳下來，不是有板有眼的，而是無板無眼的。人是最弱的生物，竟然在地球上為王。人是地球的敗類。人不進化的。千萬年前的動物和今天一樣，為什麼不進化？

人類弱，又不安分。要瞭解人，又不讓人瞭解自己。不穩定，不正常。動物性是穩定的，正常的。最早的文學，即記錄人類的騷亂、不安，始出個人的文學。所有偉大的文藝，記錄的都不是幸福，而是不安與騷亂。

人說難得糊塗。我以為人類一直糊塗。希臘神話是一筆美麗得發昏的糊塗帳。因為糊塗，因為發昏，才如此美麗。

第3講

# 希臘史詩

《伊利亞特》《奧德賽》 荷馬 阿喀琉斯 奧德修斯

1989.3.6

凡大品，都無贅述——近世的文學描寫，太贅——所謂「大手筆」、「史詩式」，就是這個意思吧，希臘傳統正是最佳典範。

荷馬史詩的「神」與「人」，既有性格上的相通，又有凡塵和天庭的差異，這差異分明是詩人設計的，然而極令人信服。這是希臘傳統又一個好典範。

故荷馬史詩是人類健康活潑時期的詩。所謂荷馬史詩風格，可列如下四個特點：迅速、直捷、明白、壯麗。

很靜。一點聲音沒有。好像天然習慣，每次遲十五分鐘。

今天介紹希臘史詩。史詩又牽涉神話。諸位今後不一定有機會讀史詩。西諺曰：人人知道荷馬，誰讀過荷馬？

這層象徵很有意義：人所崇拜的東西，常是他們不知道的東西。在座誰讀過《伊利亞特》（*Iliad*）？《奧德賽》（*Odyssey*）？（座中只有王紀凡舉手，二十歲，薄茵萍女士的公子，在美國受教育。）大陸來的藝術家沒有一個讀過。中國有極好的譯本。

荷馬是被架空的詩人。世界四大詩人，荷馬（Homer，古希臘）為首、但丁（意大利）、莎士比亞（英國）、歌德（德國）——現在我們假定有荷馬。荷馬留下兩部書：《伊利亞特》（陽剛）、《奧德賽》（陰柔）。

《伊利亞特》——漫長的戰爭。

《奧德賽》——漫長的奇跡。

到後世成了經典。

在中國，《詩經》本來不是「經」，後來成了經典。《楚辭》，後世稱《離騷經》。西方也如此。

中國常有「詩曰」，其詩本來寫的是愛情，然而後世奉為「經」。皇帝聽說是「經」，也得買詩的帳。《聖經》也是一些故事，後來成了經典。

古希臘人稱荷馬是詩人，詩人就是荷馬。中國人稱孔丘為「子」，開口「子曰」，「孔」也不稱。歐洲人稱新舊約為「書」。

詩人、子、書，是最高尊稱。

荷馬位置這麼高，有緣由的。西方人說，如果沒有荷馬，此後不會有但丁、維吉爾（Virgil，公元前七〇—前一九）、彌爾頓。這兩部史詩的影響，永久，偉大。試想，如果荷馬瞎了，一時惱火，跳海死，既談不上壯烈犧牲，也沒留下詩。

所以說，不死而殉道，比死而殉道，難得多。

希臘史詩中的奧德修斯（Odysseus，拉丁名為尤利西斯）代表智慧、謀略，海倫（Hellen）代表美。

古代有遊吟詩人、行吟詩人。可能不識字，能唱，能彈，唱的都是歷史故事。景象仿佛天造地設，非如此不可：荷馬，多鬍子，瞎，一村一村遊唱。當時遊吟詩人多極了，荷馬最優秀，其他詩人被歷史淘汰了。

晉書法家不知凡幾，歷史唯剩王羲之。

而最偉大的詩人是瞎子。上帝的作品：將最偉大的詩人弄瞎，使最偉大的音樂家耳聾。

## 《伊利亞特》——爭美人，特洛伊開戰

《伊利亞特》，敘特洛伊戰爭（Trojan War）的故事。

話說帕琉斯（Peleus）與忒提斯（Thetis）結婚時，大宴眾神，唯獨沒有請女神厄里斯（Eris，聚合與分離的主宰）。厄里斯大怒，出毒計報復，以陽謀出：在金蘋果上刻「獻給最美麗的人」，投向筵席。眾人搶，三女神（朱諾、雅典娜、維納斯）相爭。宙斯說，女人之美，得由男人評。當時最美的男子是王子帕里斯（Paris，一譯作巴黎）。三女神前往接受評價，朱諾對王子說：然，給你榮耀；

雅典娜說：然，給你財產；維納斯笑而不答，最後說：然，給你情人。

王子大悅，指維納斯最美，維納斯得金蘋果。從此，朱諾、雅典娜成了王子的敵人，長期爭鬥開始。

維納斯既允王子得情人，就請王子去斯巴達國，國王墨涅拉俄斯（Menelaus）不知來意，盛情款待。王后是海倫，絕美，與王子一見鍾情，私奔，同歸特洛伊（Troy）。墨涅拉俄斯大怒，與其兄阿伽門農（Agamemnon）徵集希臘各邦軍隊，興師討伐特洛伊，誓言奪回海倫。義師既發，各邦將領如阿喀琉斯（Achilles）、奧德修斯、狄俄墨得斯（Diomedes）、阿琪克斯（Ajax）等都率領軍隊前來參戰。希臘軍的統帥是阿伽門農，率軍團團圍困特洛伊。特洛伊方面的首領是帕里斯的哥哥赫克托爾（Hector）。

天神也分兩派：朱諾、雅典娜，幫希臘一邊；戰神瑪爾斯等，幫特洛伊一邊；宙斯、阿波羅，中立。

海倫王后，絕美，與美男子帕里斯王子私奔，引發特洛伊大戰。

戰爭持續九年。九年後，起內訌——史詩自此而始。

這一構思非常巧妙：希臘軍內阿喀琉斯與阿伽門農起了衝突，奧德修斯的故事以此開始：史詩凡二十四卷，是二十四天之間的戰爭紀實，敘述中心，是阿喀琉斯的憤怒——九年切開，僅寫這一層。

戰爭是獸性的暴露。

希臘軍圍困特洛伊城時，紛紛掠劫財寶和女人。其中搶到阿波羅廟祭司的女兒，給了墨涅拉俄斯的兄弟阿伽門農。祭司請阿波羅降瘟疫給希臘軍。搶女人不均，最高將領阿喀琉斯和阿伽門農起衝突。阿喀琉斯退出戰爭，無人可替代他。他要求母親向女神求力量，對情敵阿伽門農報仇。宙斯請夢神托夢阿伽門農出陣。王子帕里斯出來觀戰。

墨涅拉俄斯、帕里斯單騎爭鬥，兩軍退息，觀戰，決勝負。

海倫也上城頭觀戰，雙方士兵首次見到海倫，驚為天人，都覺得九年戰爭值得。

（插敘：但丁往選美，出六十多美人，編號，最後說：不要排名，最末一名放到第一名，也一樣美——這是詩人的說法。）

王子敗。希臘要求海倫復歸，王子賴帳，戰爭復起。

阿喀琉斯退戰，希臘方面缺將而弱。阿伽門農禮請，奧德修斯說項，阿喀琉斯均不允。其中一席話，是荷馬演說的極峰，在史詩中最有名。中國古代名將樂毅〈報燕王書〉，嚮噹噹，也是退將拒絕之詞。

但阿喀琉斯出借自己的鎧甲戰車給戰友帕特羅克勒斯（Patroclus），友上陣後，旋敗。阿喀琉斯聞知好友亡，戰車失，狂怒而起，其母求伏爾坎連夜鑄做新鎧甲，敘寫鎧甲的文字，也是荷馬詩最著名的一段，極富考證價值。在古代，盔甲、戰車、盾牌，極重要。希臘史詩中大量篇幅描寫當時的武器。出土文物證明是對的。

阿喀琉斯披戴新盔甲，以「哀兵難敵」之慨，衝向特洛伊城。起初赫克托爾避而不戰，後與之交鋒，不敵，奔逃，阿喀琉斯緊追，繞城數匝。天上眾神俯瞰戰局，在金天平放砝碼兩枚，一代表阿喀琉斯，一代表赫克托爾，眼看赫克托爾砝碼下沉，必敗無疑。果然，赫克托爾死，阿喀琉斯不退還其屍，置戰車後拖拽，耀武揚威。赫克托爾妻安德羅瑪刻（Andromache）在城頭看見，悲痛欲絕，跳下，死。死者父親哀求，屍體終於運回。阿喀琉斯為其戰友帕特羅克勒斯辦葬禮——至此，史詩結束。

荷馬高超。起篇奇，收束也奇——到底有沒有荷馬呢？如果沒有荷馬，又是誰寫的呢？

（提要——王子搶海倫，丈夫開戰，眾神參戰，希臘軍內訌，阿喀琉斯退戰，請戰，阿喀琉斯請其友出，死，為戰友復仇，阿喀琉斯親往戰，勝，回來葬友。）

其中以海倫上城頭、阿喀琉斯回拒、王子賴誓，都是精彩的部分。

特洛伊木馬，不在《伊利亞特》篇，阿喀琉斯戰死，也不在《伊利亞特》篇，而在《奧德賽》篇。《伊利亞特》陽剛，是寫給男性看的，類《三國演義》、《水滸傳》。如有人能以詩的形式改寫《三國演義》，或不輸荷馬史詩，但改寫者必須具有荷馬的天才——世界各大國、各大族，歷史都很豐富悲壯，然而偉大的詩才太少了。以此，中國沒有史詩。

## 《奧德賽》——奧德修斯，漫長的奇跡妙遇

《奧德賽》敘述特洛伊城陷落，希臘全勝之後。海倫回來了，其他英雄陸續回歸。獨有奧德修斯在歸途中歷經各地，多年後，漂流回家。

沒有暴烈的戰爭，沒有震撼人心的描寫，《奧德賽》是女性的，溫和的，富人情味。因此有人判斷《伊利亞特》與《奧德賽》寫於兩個時代，後者在較後的較文明時期；但也有人堅稱兩者皆出於荷馬，前者是詩人生活顛簸激烈時所作，後者是靜穆的晚年所作；又有人認為，《伊利亞特》是男性寫的，《奧德賽》是女性寫的。

我都不太信服。這兩部史詩都是二十四卷。《奧德賽》分得更細緻，六部，每部四卷，共二十四卷。

首部，敘奧德修斯家，妻子久等，丈夫不歸，求婚者紛至，難以應付，兒子出往尋父。

二部，敘述奧德修斯離了仙女卡呂普索（Calypso）到海王國（Sea Kings）。

三部，寫在海王國，奧德修斯講述從前的冒險故事。
四部，回到伊薩卡（Ithaca）地方，與子相會。
五部，奧德修斯假扮乞丐，回家，使人不識，可用智謀。
六部，與子聯合，殺求婚者，與妻復合。
鑒於大家都忙，且要忙到老，不能詳談荷馬史詩，只略述一遍。

眾神聚會，波塞冬不在。奧德修斯曾殺波塞冬之子，故波塞冬不來。雅典娜求情，請他讓奧德修斯回，但問題是奧德修斯在仙島上與卡呂普索仙女愛，不捨他回，故先得說服仙女放奧德修斯。

其時，奧德修斯家求婚者不絕，在他家飲酒歡樂，幾耗盡家產。雅典娜神變成奧德修斯家老友，慫恿奧德修斯子忒勒馬科斯（Telemachus）尋父。子問父友墨涅拉俄斯，墨涅拉俄斯款待忒勒馬科斯，見海倫在場，談起當年戰爭，是一美妙段落。墨涅拉俄斯告訴奧德修斯之子其父在何處。

其時仙女已放走奧德修斯，奧德修斯造木筏，出海，上歸途，眼見中途必經海王國，被海神波塞冬遇見，波塞冬怒其不歸，使木筏碎，奧德修斯落海，兩晝夜後浮到海王國。

雅典娜又求海王國公主救奧德修斯，公主救，善待，國王看重奧德修斯，款待，飲酒、聽歌，唱到特洛伊戰爭（寫法高明），唱到木馬攻城（此時點出奧德修斯當時用木馬計），奧德修斯感動下淚。王詫怪，問何故，奧德修斯告知自己是誰，趁此說出十年漂泊經歷（手法高明，收放自如）。

奧德修斯說，他和他的同伴被風浮到某地，國人僅食蓮花，外人吃，即失記憶。奧德修斯不食。又到塞力斯國（Cyclops），國不耕種，互不相助，食野果。奧德修斯又到一島，島無船，島中人從未到過異地。又遇一獨眼巨人，食人，巨人實為波塞冬之子。奧德修斯以酒灌醉巨人，盲其另一眼，抱羊逃出。

巨人求其父報仇。

奧德修斯至埃俄洛斯（Aeolus）所住的島，四周銅牆圍，島主好客，臨別有禮，皮袋，容世間各種風。主稱：僅留西風，送汝歸。

數日，祖國在望，奧德修斯喜。略鬆神，瞌睡，隨從好奇，想看袋中何物，

奧德修斯，《奧德賽》的主要人物。

風乃出，船亂，奧德修斯醒，已不可控。

到女神喀耳刻（Circe）所在的地方，女神有魔法。奧德修斯留船上，其餘隨從上岸，觀女神屋，周圍有百獸，馴良。女神好客，以酒待客，飲酒後，皆成豬，唯領隊慢飲，未成豬，逃回，告奧德修斯。奧德修斯設計救，找到赫爾墨斯神（Hermes），神給奧德修斯黑莖白花，使奧德修斯持往女神家，不會變豬。奧德修斯往，喀耳刻知，善待，以二十一豬返人形，還奧德修斯，奧德修斯索性住下，一年，或與女神有愛。

奧德修斯往死國。該國有先知。奧德修斯見了已死的母親，又見特洛伊戰爭中死去的諸將，又談戰爭。

後奧德修斯又離開死國，回喀耳刻處，女神告知旅途，別。途中遇島，有歌者，聞歌而不思歸。奧德修斯越歌島而去，遇窄谷，一邊有漩渦，另一邊有海妖斯庫拉（Scylla）住著，入漩渦，船沒，不入漩渦，被妖吃。奧德修斯自知不敵漩渦，試敵妖。可是六個水手被妖逮，愈逮，奧德修斯愈逃，聽身後六水手呼喚其名，奧德修斯以為所有艱難中此處最悲傷：見死而不得救。

過海峽，至美麗島，有神牛，奧德修斯同伴饑餓，宰神牛食。宙斯要懲罰殺牛者，雷電交加，眾人淹死，唯剩奧德修斯。

漂流十天，到卡呂普索島（仙女島），直到後來仙女使他走……國王聽完故事，造船送奧德修斯回家。

奧德修斯回家前，先已從兒子處得知家中求婚者眾，鬧，於是裝扮成乞丐，無人識。僅家中老狗嗅出，興奮，狗死。乞丐受百般凌辱，然奧德修斯明白其妻忠誠，乃團圓，同往拜老父，從此和平——《奧德賽》故事至此結束。

## 「史詩式」的最佳典範

我的觀點：

史詩中英雄美人的顯著特點是：性格鮮明，不用太多的字句，寫角色說的話、做的事，讀者自然看到的性格。這是古典的文學方法論，到今天，仍應看取、借鑒。莎士比亞用這個方法，司馬遷也用這個方法。古法當然不是唯一的，但卻是最好的，用這種手法看其他文學，凡大品，都無贅述——近世的文學描寫，太贅——所謂「大手筆」、「史詩式」，就是這個意思吧，希臘傳統正是最佳典範。

其次，荷馬史詩的「神」與「人」，既有性格上的相通，又有凡塵和天庭的差異，這差異分明是詩人設計的，然而極令人信服。這是希臘傳統又一個好典範，至今值得體會、借鏡。

人類有童年。各民族有各自的童年。希臘這孩童最健康，他不是神童，很正常、很活潑，故荷馬史詩是人類健康活潑時期的詩。所謂荷馬史詩風格，可列如下四個特點：

迅速、直捷、明白、壯麗。

這四個特點，若讀原文，可感更切。任何譯文，均可傳達四特點中之一兩點。

荷馬喜用「Similes」（簡潔的比喻），極直接，不深奧，不暗示，也成了傳統。後來的維吉爾、彌爾頓等史詩家都襲用簡潔的比喻。有人統計《伊利亞特》的直喻共一百八十多處，《奧德賽》四十多處。

如形容希臘奔赴前進，如大火吞沒森林；匆忙的聲音，如群鳥噪音；軍隊聒噪時，如蒼蠅飛鳴；軍敗退時，如羊群奔散。以獅比猛將（三十多次），如此，史詩顯得輝煌。

荷馬史詩不僅是文學，而且是文獻。近世，希臘與周邊國家發現荷馬所寫的城邑、器物，均分批出土，邁錫尼（Mycenae）發現了城牆與城門，還有國王的寢陵。殉葬器中，竟有《奧德賽》所記奧德修斯用過的金胸針，都與史詩所載相符，可見真實性。連阿喀琉斯的戰車、盾牌，都找到了。特洛伊所在的海邊發現了《奧德賽》所寫的海王國，有宏麗宮殿的殘跡。由此斷定，史詩非虛構，而是實跡記載。荷馬，是根據人類的世界而創造了一個荷馬的世界。

扯遠一點。

西方有歷史學家克羅齊（Benedetto Croce，一八六六—一九五二），被我們稱為唯心史觀。克羅齊提出歷史與藝術有相似性。他說：

一，藝術不是抒發官能快感的媒介。

二，也不是自然事實的呈現。

三，也不是形式關係系統的架構與享受。

他說，藝術是個體性的自覺的想像。藝術家觀察並呈現這種個體性。藝術不是情緒的活動，而是認知的活動。科學和藝術相反，科學要認知的是「普遍」，要建構的是一般性概念。科學之間，概念之間，要釐定它。

歷史關心的是具體個別的事實。所以，要仔細對待事實，敘述事實，找出事實的前因後果，找出事實之間的關係。根據克羅齊的說法，歷史並不在於理解它的客體（對象），而僅止於凝想那個客體，這種凝想、凝視、凝思，正是藝術家命定要來從事的活動——重複我的意思：就是那耳喀索斯的活動——唯物史觀要把歷史歸入科學概念，連串「事實」似乎專為辯證法推論存在，完全無視「個體性」，只要普遍性，而歷史、藝術要具體性、個別性。

歷史不屬科學的概念範疇，屬藝術的概念範疇。

歷史是要對客觀思考、凝視，非旨在理解。這也正是藝術的課題。

我不完全同意克羅齊的觀點，但部分是對的。唯物史觀把歷史拉到科學，克羅齊把歷史拉回藝術。唯物史觀把歷史看成規律性，不看到個體性，起初即錯。歷史的個體性只可做凝視、觀照，不可做成規律性。唯物史觀因找規律，愛預言，而預言皆不準。如預言工人會上政治舞臺，結果是希特勒。

回到荷馬，是對歷史細碎性的凝想，故史詩成為歷史與藝術的理想結合。克羅齊之說，近乎荷馬史詩。

是否因荷馬的方法，歷史、藝術兩個概念可以等同起來呢？對於太多藝術家氣息的歷史學家，我遺憾：何不去弄藝術？反之，考據氣盛的人，我也反對。最理想是司馬遷。他是歷史學家，有文學才能，但不多用，他知道。

魯迅評《史記》：「史家之絕唱，無韻之離騷。」好！「史家之絕唱」，即歷史真實性，是對客體的觀察、凝想。「無韻之離騷」，即藝術的真實性。《史記》中最上乘、最精彩的幾篇，恰好合一，雙重連接了這個標準，如〈項羽本紀〉。

說到這兒，要說幾句司馬遷的壞話：他的偉大，是有限的，他的精神來源是孔老二，是儒家精神，用儒鏡照史，是迂腐的。他能以孔子論照，何不以老子論照？試想，如果司馬遷這面鏡不是孔牌，而是李牌，不是「好政府主義」，而是「無政府主義」，那麼，以司馬遷的才華氣度，則《史記》無可估量地偉大。以唯物史觀的說法，這叫做司馬遷的「歷史局限性」。

再看魯迅之評，過譽一些。

歷史創造偉大文學家、藝術家，常常偶然。我不同意克羅齊，很簡單：歷史學家，是真口袋裡裝真東西。藝術家，是假口袋裡裝真東西。歷史學家苦，要找真口袋，我怕苦，不做史家。藝術家造假口袋，比較快樂。但藝術家應有點歷史知識。

歷史學家要的是「當然」，藝術家要的是「想當然」。考證《紅樓夢》，錯，是當歷史學家去了。然蔡元培以「想當然」考證，又大錯了。歷史與藝術，追求真實，但追求的方法、表現的方法均不同。

克羅齊的科學概念，是常識。但他對歷史與藝術的見解，還有待說。普遍性還是要有，但不是蘇聯說的「典型環境之典型人物」（產生公式化）。我既不認同歷史和藝術的純個體性，又反對「典型環境中的典型性格」。克羅齊的「個體性」不能完全排除「普遍性」。史家、藝術家，一定要從不可分的普遍性的東西中分出來。史家分出個體性，還得放進普遍性。藝術家分出個體性，不必再到普遍性。

這是我的意見。

## 荷馬確有其人嗎

回到史詩。荷馬不用文字，是口傳，是有人記載加工的。直到公元前五百年，乃正式成為文字記載。此事不知是誰做的。

「伊利亞特」，當然是音譯，意思是：一系列的戰績。

「奧德賽」，意思是：漫長而曲折的旅程。

荷馬，是「零片集合者」的意思（Piecer-together），如此，荷馬的形象不見了。殊憾。四大詩人中，老大不見了。我很傷心。正傷心，英國有人說，荷馬真有其人。直到德國，歌德、席勒，都堅信確有荷馬其人，正合我的心態。席勒脾氣大，罵了胡爾弗（Wolf），因為胡爾弗認為荷馬只是個口頭的初稿者。席勒說，你不認，是野蠻人！

他們論據何在，不得知。

我們直接讀原書，巧妙的連續，完美的結合，實在像出於一個人。這人一定有的。不一定叫荷馬，但這個人就是荷馬。

你們以後讀荷馬史詩，悄悄注意：每次戰後，都描寫大吃大喝。希臘人真是健全、誠實，吃飽喝足才能打仗呀，打九年哪，不吃不喝怎麼打得動。假如中國也有史詩，恐怕不會像荷馬那樣去寫吃喝的。今天我們講課到薄家、丁家，課中休息，有吃喝，此乃「史詩風格」。

美術史，是幾個藝術家的傳記；文學史，就是幾個文學家的作品。

第4講

# 希臘悲劇及其他

埃斯庫羅斯　索發克里斯　歐里庇得斯　赫西俄德　希羅多德

1989.3.19
在李全武家

除了基督教，希臘文化是世界文化可以誇耀的一切的起始。黑格爾說：希臘是人類的永久教師。

希臘的得天獨厚，是正確、有力、美妙的文字，表達了不朽的思想。希臘整個文化藝術像是一個童貞的美少年。整個希臘，是歐洲覺醒前的曙光，五百年光景，是西方史上突然照亮的強光。當時，周圍的波斯、土耳其，還很野蠻。

## 希臘，人類的永久教師

想和前幾次來個顛倒。此前先說文學，再說觀點，今天一反，先說觀點。文學與繪畫的藝術家，小時候聽到希臘，都震動著迷。這是藝術家精神上的情結，戀母情結。

希臘偉大，但希臘是個小國家，人口少、面積小。然而，產生了至今無與倫比的偉大藝術，宏麗，高潔。文學、雕刻、建築，可說是達到最高的境界。數學、哲學，是人類文化的奠基。西方評價：除了基督教，希臘文化是世界文化可以誇耀的一切的起始。黑格爾（Georg Wilhelm Friedrich Hegel）說：希臘是人類的永久教師。

希臘小，但有相當長時期醞釀文化。荷馬生於公元前八、九百年。亞里斯多德死於公元前三百餘年，荷馬是開山祖，亞里斯多德是集大成，共歷五百年。

我們是中國人，一定會想，那時候中國如何？那時中國也正偉大，天才降生

——公元前八百年，世界是這樣的！

中國呢，李聃（聃，音丹）比荷馬遲一百年出生，約公元前七百年（一說公元前五百餘年）。孔丘比耶穌早五百五十年出生。墨翟比孔丘小幾十年。釋迦牟尼（本名喬達摩）生於公元前五百餘年，比孔丘大幾歲。

當年希臘正在造宇殿，起塑像，唱歌，跳舞，飲酒，中國正在吵吵鬧鬧，百家爭鳴，而印度正在吃食，絕食等等。他們彼此不知道，在這同一個世界還有另外的輝煌文化。

在座今後稱文化名人，要有分寸。老子、孔子，是尊稱，也可稱其名。該有尊稱。

這時代，地球上出現那麼多人物、天才，彼此不知道。所以古代的智慧畢竟有限。我以為所謂智慧，指的是現代智慧。再想下去，那時候地球上出現許多天才，偉大的人格、偉大的思想，而柏拉圖、亞里斯多德壓根兒不知道老子、孔子、釋迦牟尼，蘇格拉底到晚期，好像有點瘋了，到處去問：世上誰是最智慧的？因此獲罪而死。如果他問到李聃，他的智慧我以為不如李聃。李聃、喬達

亞里斯多德，柏拉圖的學生，全才。

摩，論智慧，應在蘇格拉底之上。蘇格拉底以希臘之心，問世界之大。他再問，只能問到希臘。

以相貌、風度論，老子、釋迦也比較漂亮瀟灑。可憐老子、釋迦，當時也一點不知希臘神話，沒有讀過荷馬史詩。談到李聃，李聃是非常自戀的，是老牌那耳喀索斯。但不是如那耳喀索斯以泉水照自己，而是以全宇宙觀照。他照見的是道。道可道，非常道。玄之又玄。

喬達摩，他是非常伊卡洛斯。他是王子，宮中美人多。他上街，看見人民，方知人生有病、有孕、有死亡。如此快樂的王子，看到生老病死，明白人生無意義。夜裡看見宮女睡態之醜，他離開宮殿，是伊卡洛斯之始：他的王宮，就是迷樓，半夜裡飛出來，世界又是迷樓，要飛出世界，難了，但他還是飛了出來，最後發現生命本身就是迷樓。所謂三藐三菩提。他偉大，悟到生命之輪迴，於是他逃避輪迴。

我對古人的崇敬，世界範圍說，就是這兩位。第三位是晚七百年才來的，他是老三，他是耶穌。

老子大哥，喬達摩老二，耶穌是小弟。這小弟來勢非凡，世界都被他感動。

然而希臘的酒神精神，最符合藝術家性格。我們出自老子故鄉，又和喬達摩的故鄉印度為鄰，為什麼還是視希臘為精神故鄉？

講希臘三次了。希臘是我心中的情結。這情結，是對希臘的鄉愿。

我是個宿命的唯美主義，瞧不起英國黃皮叢書派的唯美主義，認為王爾德是紈絝子弟，不懂美。春秋戰國的血腥和混亂，我受不了，印度人不講衛生，髒不可耐。而中國的思辨，印度的參悟，還不及希臘的酒神精神更合我的心意。

希臘人當年的知識範疇如何？很狹隘。希臘人不知道世界史，不知道世界地理，不知道其他種族。希臘的得天獨厚，是正確、有力、美妙的文字，表達了不朽的思想。從前有一說：詩人不宜多知世事。希臘整個文化藝術像是一個童貞的美少年。想起希臘，好像那裡一天到晚都是早晨、空氣清涼新鮮。整個希臘，是歐洲覺醒前的曙光，五百年光景，是西方史上突然照亮的強光。當時，周圍的波斯、土耳其，還很野蠻。

我的老調：希臘是偶然的希臘、空前的希臘、絕後的希臘，希臘的現在，已糟糕。

希臘神話、史詩，匆匆講過，今天說一說希臘悲劇，然後羅馬文學也趁勢交代一番——再下去就是「新舊約的故事和涵義」，要和耶穌在一起，很興奮，也有點難為情，大家有這種又高興又害羞的感覺嗎，下次要去見耶穌。

## 希臘正視命運與死

正式觀點：

多神——→泛神——→無神

此中規律，世界如此。而一神，很難通向泛神，因此不可能無神。所以，希臘諸神今已消失了。叔本華說，泛神論即客客氣氣的無神論。

而基督教（一神）至今不滅，不可能通向泛神。

即此說明，希臘精神是健康的。一開始，他們的諸神之上就有命運。從國君到國民，心照不宣地將命運置於諸神之上。希臘的潛意識，是無神。我的公式，再挑明如下：

多神（命運）——→泛神（觀念）——→無神（哲思）

希臘之所以活潑健康，是他們早在神的多元性上，伏下了無神論的觀念。此所以尼采無比嚮往希臘。文藝復興，似乎復的是基督教之宗教，其實復的是希臘精神。希臘精神是他們在宗教畫中大量夾帶的私貨。

希臘悲劇的通識與基調，是一切都無法抵抗命運。

為什麼希臘悲劇能淨化人們的心靈？中國人不知此。

我的看法：希臘人承認命運後，心裡在打主意，怎樣來對抗命運。希臘教育的總綱、格言，是殿堂門楣所刻：你要認識你自己（也可說是：尊重你自己）。這是倫理總綱，是認識論。

凡是健全高尚的人，看悲劇，既驕傲又謙遜地想：事已如此，好自為之。一切偉大的思想來自悲觀主義。真正偉大的人物都是一開始就悲觀、絕望，置之死地而後生。

此之謂「淨化」，中國人說「通達」。「通」是認識論，「達」是方法論。「通」是觀照，「達」是自為自在的。

相比，希臘人還是比我們優秀。希臘對死是正視的，對命運是正視的。正視之後，他們的態度是好自為之——人道。拿人道去對抗天道，很偉大。他們聰明，認為人道可以對抗天道。

中國人想天人合一。

最了不起的，是希臘將「美」在人道中推到第一位，這是希臘人的集體潛意識。這種樸素的唯美主義，不標榜的。他們高尚。希臘是最早的唯美主義。十九世紀的唯美主義，華而不實。

## 希臘三大悲劇家

現在來談偶像崇拜。

在中國、印度、埃及、瑪雅、波斯，眾神像代表權威，恐怖，要人害怕、懾服。只有希臘人崇拜美麗的權威、美惡的眾神。維納斯、阿波羅，為什麼美？那根本不是一個人。美，最後帶來人格的美：勇敢，正直，戰死不丟盾牌。

為什麼美好？美就是快樂。

希臘沒有歷史負擔，沒有傳統風俗、習慣、教條約束他們。這美少年不夢想上天堂，也不想到下地獄。多舒服。

希臘文化是現世的、現實的。他們天然地沒有傷感情調。希臘的一切藝術，真實、樸素、單純。奇怪的是，經歷了那麼多繁華，留下這樸素。

希臘由諸多城邦組成。城邦即國家。每一城邦數千人，臨海，或是島。雅典是最重要的城邦，不及我住的瓊美卡大，城邦裡上演悲劇，全城免費觀看。

希臘文學，百分之八十已失去。留下的百分之二十，現藏雅典亞歷山大圖書館。

希臘與波斯大戰，勝。歐洲後來的愛國主義皆以戰勝波斯為標誌。當時，文明戰勝野蠻，讚美生存，即愛國主義。

所謂希臘悲劇，即雅典戲劇。公元前四八四—前四三一年，在這五十三年中，產生了希臘悲劇。

對照：英國伊麗莎白時期的戲劇，也就三十餘年的光榮。

早期希臘戲劇，發源於崇拜神的舞蹈（祭神，每春葡萄發葉時祭酒神），再轉化為悲劇。此後出大戲劇家，豐富了戲劇，名義上仍借春祭。雅典劇場：圓形，第一排是教士、祭酒的座位，酒神（似教父）在正中有特別座位，背高，大，曲臂椅。

劇場可容三萬人，所有希臘國民都可以到劇場，由國家付錢。當時國君認為這是對每個國民應盡的義務。

劇目競賽，演員由富翁供養，作家以劇本參加競賽。每個作家必有自己的合唱隊。賽有勝敗，然在希臘不會失敗。他們認為，在酒神慶典上怎能失敗，故參賽三人都得獎。

當時最有名的悲劇家：

老大：埃斯庫羅斯。

老二：索發克里斯。

老三：歐里庇得斯。

演出情況：最早，所有優伶在舞臺與觀眾間的空地上表演，化妝在幕帳內。當時合唱隊是全劇的靈魂。演員扮相龐大，不好看，動作慢，以說為主。面具起擴音器作用。有引子、序曲，劇中有人出來預告劇情，劇末有人扮神出來講安慰的話，大家聽候「淨化」（Catharsis），散回各自生活。

**埃斯庫羅斯**（Aeschylus，約公元前五二五—前四五六），生於公元前五二五年，當過兵，參過戰，以戰爭生活入劇。首著作於二十六歲。像莎士比亞那樣，在自己戲中當演員。據說共有九十多種作品，留下比較完整的有七種。

人類不能逃脫命運，不能逃脫復仇之神的追逐——這是劇的中心思想。劇情都是神話與民間傳說。

據說，他少年時在葡萄園中睡熟，夢酒神，指令他寫悲劇。

他的作品特點是恐怖、有力，沒有戀愛故事，劇中音樂是他自己配。

他自稱其作品是荷馬大宴會上的幾口菜。

僅存七劇本。以「普羅米修斯」（Prometheus）為最有名。共三部：一，《盜火者普羅米修斯》（*Prometheus the Fire Bringer*）；二，《被縛的普羅米修斯》（*Prometheus Bound*）；三，《被解綁的普羅米修斯》（*Prometheus Unbound*）。其中以第二部最動人（第一、第三部僅存片段），是普羅米修斯被伏爾坎囚於山頂，向天地哭訴他本是神。受刑，以鷹啄普羅米修斯胸膛，食盡五內，翌日復長成，再被鷹食。

埃斯庫羅斯，劇本以「普羅米修斯」為名者最為有名。

另一本稱《阿伽門農》（*Agamemnon*），三聯大戲。

埃斯庫羅斯死於公元前約四五六年。相傳死於在劇本競賽中失頭獎。

索發克里斯（Sophocles，約公元前四九六—前四〇六）是三者中最著名的，小埃斯庫羅斯三十歲，大歐里庇得斯十五歲。他是世界文學史中最快樂的作家，形象壯健、美麗，精於體育和音樂，十六歲被選為少年歌唱隊領班。歌唱時裸體，戴花環，執金琴。

成長於愛國主義熱情，雅典人以偉大的光榮與喜悅對待索發克里斯，稱他為「小蜜蜂」（Attic Bee，蘇格拉底的綽號是「牛虻」）。後入政界、晚年被封為大將，他是天時、地利、人和的福將，生在講究道德又不主張禁欲的希臘時代，如天才一樣，懂得逃，逃出熱情。

產一百多種劇本，僅留七種，有《伊底帕斯王》（*Oedipus the King*）等等（古代的書名多是人名）。

索發克里斯比前人更為人性化、人間化，從宗教熱情轉化到人間的合理化。他改進了演員的戲劇服裝，使其華美，改進了合唱，使其豐富。不像埃斯庫羅斯劇那麼暴狂，比較文雅。他的晚年生活快樂，自稱不知憂愁。別人稱，他的冥國一定如生前般快樂。

埃斯庫羅斯是剛毅的士兵，快樂健康，是參與國事的名士；而歐里庇得斯（Euripides，約公元前四八〇—前四〇六）是個隱士，厭惡城市、群眾，在藝術上是個改革派。他生於公元前四八〇年，二十五歲首次參加悲劇比賽，出處女作。十餘年後得第一獎。後離雅典，到馬其頓（馬其頓最早的國王是亞歷山大），終其生。馬其頓國王寵歐里庇得斯，為眾臣所嫉，死於謀殺，被一群野狗咬死。

歐里庇得斯生時，雅典人已不太信神。埃斯庫羅斯時代神話題材正盛，索發克里斯綜合之，到歐里庇得斯，寫人間普通人。後世稱他為浪漫主義開山祖。

他認為神的傳說是不道德的。如果真有神，不必崇拜；如果沒有，希臘道德觀豈非崩潰？他認為道德即美，不應賞罰是非。道德的好，乃因為美。他以性格分析見長，敏銳，尤對女性心理分析為高。

歐里庇得斯一生大概寫有七十五種劇本，約十八種傳世，得過五個第一獎。惡行會得惡報，這是他劇中的思想。

落落寡合，不與官方接近。而得獎多，留作品多，可見當時為人熱愛接受。歐里庇得斯死時舉國哀悼，名聲很大。其時索發克里斯也近死。此後，希臘悲劇時代告終。

文學史是文學家的事。

喜劇不僅引笑，還加入諷刺，對公眾的愚蠢加以批評。喜劇也比賽。**阿里斯托芬**（Aristophanes），生於公元前四四八年，相傳作品有四十四種，傳世十一種——現存最早的希臘喜劇，就此十一種。

他是保守派，與革新的歐里庇得斯等是對頭，責備歐里庇得斯派，不贊成英雄化。政治家、哲學家、法律家，他都諷刺。最著名作品《蛙》（*The Frogs*），文筆銳利。卒於約公元前三八五年。此後新喜劇起，遠不如前，合唱隊已失去贊助人。

## 希臘詩人、散文家

現在來介紹希臘的詩人和散文家。

荷馬史詩盛行期，有一位詩人叫赫西俄德（Hesiod，生卒年不詳），遲荷馬生一百年，不很為人知。所謂貴族、平民，在藝術家不是指出身。所謂貴族，指少數主張超人哲學的人。歷史上評荷馬為貴族，然荷馬出身寒苦，而評赫西俄德為平民。後世有貴族化、平民化之說。

赫西俄德在取材與觀念上不同於荷馬，不寫英雄，寫農民、平民。有作品《工作與時日》（*Works and Days*），反映農民生活的情景、人事，詩歌八百多段，有教訓勸導，也有占卜內容。詩風滯重，時有好片斷，屬現實主義。荷馬是浪漫主義。

赫西俄德不如荷馬出名，但對後來文學上的寫實主義影響很大。

另有九位詩人，其中女詩人薩福（Sappho），大名鼎鼎。一說其美，一說其矮、醜。一說其乃最早的女同性戀，一說其死於失愛。

她代人寫情書：「當你打開我的信，不看到最後的名字你就不知道了吧？」

薩福與荷馬齊名，但留下詩作極罕。

她出生於三位悲劇家百年之前，公元前六〇〇年左右。被推崇為第十位繆斯

（Tenth Muse），也稱為「格萊女神之花」（Flower of the Graces）。評者稱其每一句詩都完美。

如為漁夫寫墓誌銘：「將這籃、這槳，放在某某墓上，這麼少啊，這個人的財產。」又如：「好像甜蜜的蘋果，在最高的枝端好像有人忘了它，不，是他們採不到它。」

不過，韻事愈多，名愈大。我的公式：「知名度來自誤解。」

沒有足夠的誤解，就沒有足夠的知名度。

另兩位詩人：品達（Pindar）、西摩尼得斯（Simonides of Ceos）。他們見稱於文學史，是由於後期抒情詩人的翹楚，不僅是地方性的，而且是全希臘的。其詩作歌頌奧林匹克的競技者。當時的勝者，有詩人獻詞歌頌。所頌者，包括神或死者。品達擅長此類頌詞，很坦率，很現代，稱：我為自己生活，別人我不管（十足個人主義）。又如：「時間的房門開了，美麗的植物看到春天。」

西摩尼得斯比較富有原創性，寫輓歌、墓誌銘、凱旋歌、頌歌（頌歌向來是詩體，中國的大雅、小雅，也是頌體詩）。他也寫神話，如佩耳修斯的母親在海中遇風暴，抱嬰兒哀，但心裡想：風暴，黑暗，海危險，嬰兒不知。心遂稍安。

會寫詩。美的。

希臘散文，表現在言說、歷史、哲學。

大演說家德摩斯梯尼（Demosthenes，公元前三八四—前三二二），雅典人。其時希臘各邦勢力衰弱，馬其頓虎視眈眈。德摩斯梯尼到處遊說，說辭有力，激使人民抗敵（時腓力二世統治馬其頓）。

歷史學家，三者最有名：希羅多德、修昔底德、色諾芬。

希羅多德（Herodotus，約公元前四八四—前四二五），被稱為「歷史之父」。他之生時，正是雅典戰勝波斯（他本人出生於小亞細亞）。少時好旅行，著作《歷史》共九卷，前六卷敘波斯、希臘國史，後三卷寫希臘、波斯戰爭，溯及埃及史。他的史書多想像，史實有誤，文筆生動。

修昔底德（Thucydides，約公元前四六〇—前四〇〇），寫戰爭史（伯羅奔尼撒戰爭使雅典衰落），親歷戰爭。他不依神的觀念，重事實，保持客觀見解。著

《伯羅奔尼撒戰爭史》，八卷，包括當時許多大人物的講演。

色諾芬（Xenophon，約公元前四二七—前三五五），寫過蘇格拉底，不敢恭維。柏拉圖寫過蘇格拉底，幫蘇格拉底忙，色諾芬幫蘇格拉底的倒忙。

普魯塔克（Plutarch，約四六—一二〇），我最讚美的傳記作家（所謂傳記作家，就是以史入傳，如司馬遷）。用希臘文。名著《希臘羅馬名人傳》，一稱《希臘羅馬偉人傳》（*Lives of the Noble Grecians and Romans*）。此後影響甚巨。莎士比亞的悲劇，即多以普魯塔克的作品為藍本。

後世大人物多從其作品中汲取力量和靈感。他本身偉大，故寫的人物光輝燦爛，又重事實。

公元前四、五世紀，雅典出三位大人物：

蘇格拉底（Socrates，公元前四六九—前三九九），口才。

柏拉圖（Plato，約公元前四二七—前三四七），文才。

亞里斯多德（Aristotle，約公元前三八四－前三二二），全才。

這三位，長話不能短說，單是蘇格拉底，我可以從現在起談，談到明天早上，信不信由你，談不談由我。由我，就暫時不談。

生在後現代的人，如何研究這三位，實是在找真理。至今，還有真理埋沒在他們身上。我不忍盜墓，願代客盜墓，不取分文。

這三位大人物以血肉之軀去想，現代人以方法、儀器思想——蘇格拉底思想時，無人敢驚動。立至天明，不動，思想。

民國版《希臘神話》。

第5講

# 新舊約的故事和涵義

耶穌　摩西五書　〔列王記〕　四福音書　聖經體

1989.4.16
在章學林家（前缺一課）

耶穌是天才詩人，他的襟懷情懷不是希臘文、希伯來文所能限制的，他的佈道充滿靈感，比喻巧妙，象徵的意義似淺實深，他的人格力量充沛到萬世放射不盡。所以他是眾人的基督，更是文學的基督。

「你要愛你的鄰人如愛你自己。」
整個基督教真諦，就在這句，但正是這句，問題最大。

尼采是衷心崇敬耶穌的，尼采反上帝，而奉耶穌為兄長。

尼采宣布「上帝死了」，我左右為難，耿耿於懷，直到今天。本章的題目，就可看出我不可告人而已告人的心態，此人是無神論？有神論？當然，是個想信仰又信仰不了的異端，呼叫「宗教事小，信仰事大」的「假先知」。

是。我是個拙劣的、於心不忍的無神論者。

上次講「希臘悲劇」，列過一個公式：

多神（命運）──→泛神（觀念）──→無神（哲思）

今天補釋「泛神」：

三民主義、共產主義，講「科學」，把宗教定性為「迷信」、「精神鴉片」。後現代，知識界最高的代表人物悄悄主張有神論了。有神論才算時髦呢。在座沒有教徒吧？恐怕對宗教不敬而遠之，對任何一種教的經典，都沒研究過。

回想起來，我從小最著迷兩件事，你們猜猜是什麼？

是藝術和宗教。

藝術是世界性的，隨便什麼藝術我都接受（紹興戲、歌仔戲不接受），宗教，只讀《聖經》和佛經。我小時候曾做過和尚，法號常棣，有芒鞋袈裟，模樣是非常Fashion。後來又在修道院生活了一陣子，真的想研究「經院哲學」

（Scholasticism），對聖・托馬斯・阿奎那（St. Thomas Aquinas，約一二二五—一二七四）抱有好奇心。

如果「文革」不發生，門戶開放早二十年，我不會來紐約，而是去法國偏僻地區的修道院。

史家稱中世紀為「黑暗時期」，教皇教廷對知識分子是極端仇視。宗教裁判所是迫害狂的發洩機關，但歷史最俏皮、最富幽默感。從中世紀到二十世紀初，歐洲的精英分子為了逃避迫害，躲起來了。躲在哪裡呢？修道院裡。

修道院是旋風的中心，最安靜。他們讀書、研究學問，最好的啤酒、葡萄酒、香水、香料，最精美的餚漿，都產於修道院。上次不是講到「快樂主義」嗎，我很想以「快樂主義者」的身分擠進修道院，和知識精英談談，然後，吃好菜，喝好酒。

實實在在說，我之所以讀佛經、讀《聖經》，繼之考察禪宗六祖，又泛泛而論探索了經院哲學，命意大致有二：一，真理有無可能；二，精神上的健美鍛鍊。

前後約計四十年，有話可說。（笑）仿孫中山辭令，易為：「余致力宗教探索，凡四十年，其目的在求我個人之自由平等，積四十年之經驗，深知欲達到此目的，必須申請出國，並聯合世界上的真誠待我之朋友，共同努力，以求貫徹。」

好，現在開始講正文。

## 《聖經》，像一個老實人的日記

*Bible* 是書，是經，是古書的總集，記載了公元前千餘年的人類史（真實性是大有問題的，也不好說是文明進步史）。而影響人類精神的勢力，遍及全世界，歐洲的道德，就是宗教道德。

《聖經》全書只是一個主旨：人尋求上帝。歷史、詩歌、預言、福音、書翰，都蘊著對上帝的愛。

《聖經》不是神學的總集。它沒有被清理、被規範，所以龐雜，像人類生活本身，忍耐、懦弱、勝利、失敗，像一個老實人的日記。作者們的熱情是忠懇的，被高揚純潔的信仰所激發，呼號哭泣，相信自己為神所派遣，來世上完成偉大的使命。

他們正直、善良、真誠、熱情，所以文字明白簡樸，思想直接有力，有一種靈感、一種氣氛，籠罩你。我少年時一觸及《聖經》，就被這種靈感和氣氛吸引住。文字的簡練來自內心的真誠。「我十二萬分的愛你」，就不如「我愛你」。

總之《聖經》不是一部書，而是許多書的總集。

接著來分〈舊約〉和〈新約〉。〈舊約〉，是希伯來（Hebrews）民族在千年間所產生的最好的文學；〈新約〉，不限於一國一族，而是從開始就預示著通向世界的偉大文學。從既成的論點看，凡研究歷史與宗教思想者，認為〈新約〉較〈舊約〉重要，凡愛好文學者，則認為〈舊約〉比〈新約〉更可寶貴。彌爾頓的《失樂園》、班揚的《天路歷程》，都依據〈舊約〉。

我少年時有個文字交的朋友，通了五年信，沒見面。她是湖州人，全家信基督。她的中學、大學，都是教會學校，每週通一信，談《聖經》，她字跡秀雅，文句優美。她堅持以上的論點，我則力主〈新約〉的文學性、思想性勝過〈舊約〉。論證是，法國紀德他們一批文學家，作品的精粹全出於〈新約〉。

後來我們在蘇州東吳大學會面，幻想破滅。再後來她轉入南京神學院，信也不通了。〈舊約〉沒有能使她愛我，〈新約〉沒有能使我愛她。現在舊事重提，心裡忽然悲傷了。畢竟我們曾在五年之中，寫信、等信二百多次，一片誠心。

〈新約〉是用希臘文寫的。我的朋友認為在耶穌那時，猶太人說的希臘話已不純粹，「四福音書」的作者雖然熱誠忠懇，到底不能形成文學。〈舊約〉的文字與思想，天然和諧，是由於希伯來人的語言，而〈新約〉作者似乎都是猶太人（除了一個聖．路加），以猶太人的思想注入希臘的範疇，這種和諧就不能再有了。

我的論據：耶穌是天才詩人，他的襟懷情懷不是希臘文、希伯來文所能限制的，他的佈道充滿靈感，比喻巧妙，象徵的意義似淺實深，他的人格力量充沛到萬世放射不盡。所以他是眾人的基督，更是文學的基督。

當時我十四歲，她十五歲，信裡各自節引《聖經》，她引〈舊約〉，我引〈新約〉，這樣倒使她也仔細讀了〈新約〉，我也耐心把〈舊約〉弄清楚。現在她如果活著，已經是祖母級了，大概早已告別文學。我呢，堅持文學，堅持〈新約〉的文學價值高於〈舊約〉。紀德、王爾德，大概與我觀點相同。

## 〈舊約〉五記及其他

現在來介紹〈舊約〉。我的幾個家庭教師中，有一位是新潮人物。他教我讀《聖經》，簡稱「讀熟五記、四福音，就可以了」。五記是「創出利民申」，為此，當年我湊了一首五言絕句：

舊約容易記
創出利民申
新約更好辦
一同四福音

創世記
出埃及記
利未記
民數記
申命記

到目前為止，〈舊約〉不敢說讀過幾遍，讀〈新約〉，無論如何超過一百遍。這不是故意求紀錄。比如你與一個傑出的人物交朋友，幾十年交往，談話幾百次，有什麼奇怪呢？而〈舊約〉好比是外公外婆家，我不常去，去也是為看看舅舅的兒子女兒（即〈舊約〉中〔詩篇〕、〔雅歌〕），和外公外婆禮貌性說個三言兩語而已。

埃及與巴比倫是兩個文明強盛的古國，從兩國的藝術、文字、思想之不同，可知其種族之不同。

在幼發拉底河與尼羅河的兩大帝國之間，有一小國迦南（Cannan），即今之巴勒斯坦（Palestine）。迦南最初是歸化巴比倫，後來埃及擴張領土，征服迦南。埃及衰敗後，亂世中有一個遊牧民族叫做希伯來的，大受災難，由摩西（Moses）帶領，逃出埃及，回到迦南南部的沙漠間。

這些同屬閃族的以色列人（Israel），占據了迦南山地，迦南人堅守平原，雙方長期戰爭。到以色列王大衛（David）出，迦南人和以色列人才合為一個民族，希伯來文化，尤其是希伯來宗教，發旺起來，那是公元前一千年之後。

希伯來人從什麼啟示了宗教觀念，無法推想，憑藉《聖經》，認定這個以耶和華為至尊的一神教，是經摩西傳來。摩西必是極偉大的人（米開朗基羅雕摩西，頭上有角，傑出到非人），他是天然的領袖，獨創了一神教（埃及人是多神教的）。摩西《十誡》（*Ten Commandments*）沒有多神教的影響，他是個道德家、立法者，他的教訓不提到死後上天堂，也不提最後審判，都是面對世界和人性，直接感發。

〈舊約〉五記，「創出利民申」，向來稱為「法典」（The Torah），傳說為摩西所作，故又稱「摩西五書」（Pentateuch），直到二十世紀初才改變解說，認為是許多宗教衍變改革的結果，即許多教士相繼編定的。

五記中，以〈出埃及記〉與摩西關係最大，故事性強，讀起來有興趣。包括摩西《十誡》，民事法律，顯出古人的正直寬厚。

〈創世記〉是歷代畫家的腳本。作神話看，很壯觀，但要重視其中永恆的象徵意義，藝術家必須讀〈創世記〉。

其他三記是敘祭祀獻禮、民事訟訴、人際關係，你們大概沒耐性讀。我從前讀，覺得古代人也難對付，愚蠢而複雜，行為不講理，口頭最喜歡講道理。〈利未記〉有一句：「你要愛你的鄰人如愛你自己。」整個基督教真諦，就在這句，但正是這句，問題最大。

你的鄰人是什麼人？他利用你的愛，損害你（佛家還要糟糕：「捨身飼虎」）。宗教總是從情理開始，弄到不合情理，逼人弄虛作假。

最符合平常心的，是個人主義。超人哲學，是個人主義的昇華拔萃。然而超人哲學只宜放在心裡，悶聲不響，超那些庸人惡人。尼采堂而皇之提出「超人」，真替他不好意思，愈想愈難為情。

說了一陣《舊約》的壞話，其實不是心裡話——《舊約》是很值得讀的，以色列民族是偉大的。他們經識的痛苦太大，信仰上帝是因為實在疲乏了，絕望了。

〈士師記〉中寫，「那時以色列中沒有王，各人任意而行」，下面隔幾節，又說「那時以色列中沒有王，但支派的人仍是尋地居住」，顯得何等的混亂，筆力強極了！這是個元氣淋漓的民族，亡於巴比倫四十年，被擄去的人回來時，已經老了，在故土重建聖殿，年輕人歡呼：看哪，聖殿造起來了！年老的哭號，因為他們見過被毀前的聖殿。這時有別族的人經過，取笑他們，以色列人答道：「你們曉得什麼，你們到這裡來，無分、無權、無紀念。」

另有〈列王紀〉中有一節絕妙，現代文學家無論如何寫不出的：先知騎驢出城去，被獅子咬死了，有人從那裡經過，看見屍身倒在路上，獅子立在驢子旁邊，人死在驢子腳下，隨從者進城去報告，於是許多人趕來了，看哪，獅子立在驢子旁邊，人死在驢子腳下。

獅子咬死人怎麼不走開，等人看？那麼多人趕來，不怕嗎？獅子不再咬人嗎——超現實！真正高手！古代畫戰爭，傷的、死的，姿態優美，古人就是懂得一切講姿態。你要永垂不朽，無窮魅力，必得講究姿態。那隻獅子、驢子、死的先知，都是姿態。

〈傳道書〉我也特別愛讀。常常文章裡節引幾句，好像蛋糕上的櫻桃，特別性感：銀鏈折斷，金罐破裂，日色淡薄，磨坊的聲音稀少，人畏高處，路上有驚慌⋯⋯。

都是空虛，都是捕風，日光之下無新事。

我偏愛的當然是〈詩篇〉和〈雅歌〉，尤其是〈雅歌〉，一共只有五頁。

（誦〈雅歌〉第一章、第二章、第三章、第五章。）

〈雅歌〉美麗幽婉，溫柔沁人肺腑。所羅門是一位大詩人，我寫情詩就喜歡用這個調子。現代人只要忘掉現代，同樣可以肝腸如火、色笑似花。〔雅歌〕純粹是文學，而且異端，壓根兒忘了耶和華，所以教會中人否認它們是戀愛詩，曲解為耶和華對子民的愛——誰相信呢？

〔路得記〕是一篇很可愛的牧歌。〔約伯記〕是講人類痛苦。〔箴言〕、〔傳道書〕談智慧。其他的篇章，總稱「雜著」，還有所謂「石經之書」（Apocrypha），就是《聖經》的編外作品十四篇，從略。

## 〈新約〉四福音書

現在講〈新約〉。

〈新約〉都用希臘文寫的，作者馬太（Saint Matthew）、馬可（Mark the Evangelist）、路加（Luke the Evangelist）、約翰（John the Apostle）都是猶太人（路加可能不是），他們用的希臘文與荷馬、柏拉圖所用的不一樣，已是公元後通行的白話文，即希臘人談話、寫信所用者，而當時的文士仍用古典的美文。

〈新約〉作者採用口語化的文體，很明智，得以廣為宣傳。信徒都屬中下層階級，耶穌的信徒也多數來自這個階級。他們雖然用通俗的希臘文著書，卻不是大老粗。聖．保羅（St. Paul）受過完全的神學教育，類似高幹子弟。

聖．路加與聖．約翰也有文才知識。其他的〈新約〉作者都能使用非本土語言，表白清楚完美。他們確信負有偉大使命，寫得自然、直捷，保羅尤善雄辯，讀他的書札，如見其人。約翰又漂亮又聰明，耶穌最寵喜。他的希臘文不純熟，但第四福音書卻最有靈性、最有愛心。〔路加福音〕是〈新約〉的最佳篇，平易、莊重、美麗。

「四福音書」的偉大，是耶穌的偉大，而恐怕耶穌也沒有料到馬太、馬可、路加、約翰根本不是專業作家，平時從來不寫文章，卻創作了千古不朽的篇章。而且總起來形成一個體裁（風格），後世曾稱為「聖經體」。

我的體會是，每當自己寫出近乎這種體的文辭，心中光明歡樂，如登寶山，似歸故鄉。為什麼呢？為什麼當文字趨近《聖經》風格會莫名其妙地安靜、暢快？神秘的解釋是：聖靈感召。實在的解釋是：歸真反璞。

〈新約〉彌漫著耶穌的偉大人格。他的氣質、他的性情、他博大的襟懷、他強烈的熱情，感動了全世界——耶穌是個奇蹟，是不是神的兒子，是另一回事，全世界持續二千年的感動，足夠是奇蹟。而且一直崇敬他，很可能將來更加崇敬，如果真有「第三波」（The Third Wave）的實現，那麼鐘聲還是耶穌基督的鐘聲。

〈新約〉的寫作，至少是在耶穌離世大約三十年後，耶穌的實際生日約是公元前六年，上十字架的日子，有說是公元後二十九年，有說是三十一年，總之沒有到四十歲。他說的是巴勒斯坦的阿拉瑪克（Aramaic）方言，又通希伯來語和希臘語。

最古的〈馬可福音〉，約在公元後七十年，當親眼見過耶穌的人都死了，馬可動手寫。那時耶路撒冷陷落，〈馬可福音〉的最後一小部分是失落的。現在的印本諒必是後人補了結尾，但看得出是匆匆而止。

耶穌真正是一位絕世的天才，道德與宗教的藝術家。讀四福音，便如見他立在面前。我隨便走到哪裡，一見耶穌像（畫或雕刻）一定止步，細細看，靜靜想。尼采是衷心崇敬耶穌的，尼采反上帝，而奉耶穌為兄長。

第6講

# 新舊約再談

**打右臉給左臉　降雨給義人、不義人　勿行善於人前　勿論斷人**

1989.5.7
在殷梅家

耶穌反對發誓，在耶穌看來，發誓本身已是取巧、竅門，真正的善，不必誓，否則已帶有欺騙性。

善，因是無報償的，才可愛；惡，因是無惡報的，才可惡。
在智慧層次上，宗教低於哲學；宗教的善有善報、惡有惡報，是低層次的，平民的，鄉愿的。

全部基督教教義，就是「你要人如何待你，你就如何待人」。
這一句話最簡單、最易解，但人類已做不到了。

# 耶穌的遺訓

上次側重講〈舊約〉，向來以為〈舊約〉文學性強過〈新約〉，我以為〈新約〉文學性更強。我以為耶穌自己就是偉大的文學家。

今天講耶穌的遺訓。

使我著迷的是耶穌的生命經歷。每個偉大的心靈都有一點耶穌的因子，做不到，無緣做，而見耶穌做到，心嚮往之。

尼采即因嫉妒耶穌而瘋狂。奇蹟。二千年仍使世界著迷。

凡主義，總要過時，那就過時吧。耶穌過時嗎？不甘心。耶穌不要過時。

今天我來解釋他的遺訓的意思。

耶穌開始不講道，在曠野中想。回來後，常到聖廷與人辯論。少年口才好，問題好，青年期才登山講道。

意義偉大。當然，他的風度、辭藻，實在非凡。

他一上來就以虛開始，如音樂。

虛心的人有福了，因為天國是他們的；哀慟的人有福了，因為他們必得安慰；溫柔的人有福了，因為他們必承受地土……憐恤的人有福了……人若因我辱罵你們，逼迫你們，捏造各樣壞話毀謗你們，你們就有福了……。

口氣之大。此後任何諾貝爾獎獲得者哪裡說得出這種話！這是文學的說法，純粹的理想主義，純粹的無政府主義。全虛，一點效用也沒有。

全世界理想主義都有目標。耶穌的理想主義毫無目標。

《聖經》中的矛盾：

既是無邊博大的愛，又是有選擇的。很多人他們不愛，只在乎以色列人，看不起法利賽人，看不起稅吏，看不起番邦……西方將基督教誤解，真的去博愛。

任何流傳的信仰以誤解始成。這說明耶穌說的話是無界限的。

當時的人聽講，半懂不懂，然而為文句之美所感動。這些高妙的言辭、比喻

（如鹽的鹹味），只有十九、二十世紀的紀德、托爾斯泰能懂。

紀德臨終說過，對世界絕望，但有青年自非洲來函，說世界美，有希望！紀德說：這位青年的話，就是大地的鹹味，為這點鹹味，我死可瞑目。

所謂「鹽的鹹味」，即指人的天良。如果母不愛子，子不孝上，愛不忠誠，政不為民，即失去鹹味。

這比喻不必再動。

行善結果歸功天國，易被人誤解利用，偷換概念。雷鋒做好事，歸黨，即此。

以現代理性看耶穌的話，破洞很多。要不求甚解地去解。不求甚解就是一種解。

包涵、圓融地看。

「把禮物留在壇前，若兄弟未和好，先和好，再回來送禮。」

何等文學，何等抽象。沒有是非，沒有道理，但抽象的意義是可貴的。精神是好的，方法是高妙的——但行不通，只能抽象對待。

關於姦淫——眼看心想，即已犯淫——最高原則上是對的，想像力也高，但那是古代社會。否則，現在選美大會就是姦淫大會。

耶穌以聖人之心度凡人之腹，聖人很苦惱，凡人做不到。

耶穌反對發誓，這段話高超。在他之前，最高原則是不可背誓，而在耶穌看來，發誓本身已是取巧、竅門，真正的善，不必誓，否則已帶有欺騙性。

耶穌說是，就說是，不是，就說不是。他深深理解人性：有起誓，就有背誓。這樣地看到底，透徹，而且說出來。

可是世界誓言不斷，耶穌歸耶穌說，人類歸人類做，也是一種景觀。

關於「打右臉給左臉，勿以眼還眼、以牙還牙，愛仇敵……」這幾段話，是無抵抗主義的最高綱領。甘地、托爾斯泰都遵守，都信以為真，身體力行。

如何看這段話？

我從小不以為這句是真理，但很欣賞。博大襟懷，早已超出宗教，與《道德經》暗合。老子說，天地不仁，視萬物為芻狗（如太陽照好人也照壞人）。

宗教有天堂有地獄，分善惡，必有判斷。

「太陽照好人也照壞人」之說，已說出宗教以外，說到哲學。耶穌畢竟是人，是藝術家，是詩人。

這段話好，是心胸寬大，是心理上的戰略戰術。但這種戰略只能用於「好人」之間。

道家以柔克剛，以守為攻，以忍克辱、克己戰勝敵人。

佛家稱心善，道家稱虛納，以致影響到軍事家、政治家的韜略、謀劃。

這段話的精義是什麼呢，在於開啟人的心懷，開闊到了右臉被打，左臉也湊過去。其實是韜略，是戰術。兩個好人誤會了，一方解釋不了，或來不及解釋，一方情急動手了，被打的不還手、不躲避，打的那個就會自省：他是好人啊，慚愧啊，誤會他了，委屈他了。

這種忍辱功夫，以柔克剛，是為使人愧悔，是感化的戰術——優待俘虜、大赦戰犯，都出於這個原則。佛家的慈悲、道家的虛納（如嬰、如水）都源於這種無抵抗的抵抗，以含垢忍辱占上風。嚇倒你，徹底地，使你慚愧而悔改，才是真的征服。

但耶穌的心理戰限於好人之間。歹人、不義之徒，打了右臉打左臉，剝了外衣剝內衣。人類歷史就這樣。代表人類雕像的，就是鼻青臉腫的亞當、夏娃，赤條條一對，被強逼白走了二千年。

世界是一群左右臉給人打、內外衣給人剝的亞當、夏娃。

都給人白打，給人白剝！

「降雨給義人、也給不義的人……」一段，其實是：無真理、無道德、無是非，是所羅門的極端悲觀主義。

上帝無是無非，無黑無白，超越善惡。耶穌，早已說出極度的悲觀。

如果都照耀好人壞人，何來最後審判？耶穌不是哲學家，無意間說出了真理，絕對的真理。

先知，到頭來都是狼狽不堪。凡人摸不到先知的心。

這話起先明明是講給好人聽的，結果給壞人聽去了。壞人聽了快樂。

耶穌講話是話中有話。我不是好人，也不是壞人，所以聽來格外有感。一個愛我的人，如果愛得講話結結巴巴，語無倫次，我就知道他愛我。凡真的先知，總是時而雄辯，時而結巴。凡是他說不上來的時候，我最愛他。

假先知都是琅琅上口的。我全不信。我知道他不愛。

下一段耶穌清醒了，說：勿行善於人前以獲取讚謝。

這段好極！

偽善，以物質換讚謝。善，天堂成銀行，上帝是行長，天使是出納，人們來取善與善報——慈善家都是高利貸者。

善，因是無報償的，才可愛；惡，因是無惡報的，才可惡。

在智慧層次上，宗教低於哲學；宗教的善有善報、惡有惡報，是低層次的，平民的，鄉愿的。

善之可愛，即因無報償。

我覺得，信了教完全可以是個惡人，不信教也可以是個善人。善人有度量，有遠見，看到將來，是擴大利益、縮小弊端之人。

惡是無遠見的，只顧眼前，不容異己。

我之所謂信仰事大、宗教事小，是指善雖被惡壓制，但世界上善還在。

我不得不提前說出：

「耶穌是集中的藝術家。藝術家是分散的耶穌。」

所謂「行善勿張揚」，是耶穌叫人有高格調。因為高格調的善行，內心才有根源。

而且還講究風度：還債勿煩躁，禁食還要洗臉梳頭，梳梳好。

從生活模仿藝術來說，生活與藝術是一元的。把藝術作為信仰，全奉獻。康德（Immanuel Kant）從不出家門，齊克果只玩過一次柏林。

藝術家能以自身的快樂來證明世俗的快樂不是萬能的。

王爾德說：「耶穌是第一個懂得悲哀美的大詩人。」

〈新約〉裡有段辭句，意象、語氣，都美。襟懷、口氣、形象、思路……他說道：

所以我告訴你們：不要為生命憂慮吃什麼，喝什麼，為身體憂慮穿什麼。生命不勝於飲食嗎？身體不勝於衣裳嗎？你們看那天上的飛鳥，也不種，也不收，也不積蓄在倉裡，你們的天父尚且養活它，你們不比飛鳥貴重得多嗎？

你想：野地裡的百合花怎麼長起來；它也不勞苦，也不紡線，然而我告訴你們：就是所羅門極榮華的時候，他所穿戴的還不如這花一朵呢！

他又說：

你們這小信的人哪！野地裡的草今天還在，明天就丟在爐裡，神還給它這樣的妝飾，何況你們呢！所以不要憂慮說：「吃什麼？喝什麼？穿什麼？」這些都是外邦人所求的。你們需用的這一切東西，你們的天父是知道的。你們要先求他的國和他的義，這些東西都要加給你們了。所以不要為明天憂慮，因為明天自有明天的憂慮，一天的難處一天當就夠了。

這已離開宗教，離開哲學，純然是藝術，是古今詩歌中最美的絕唱，所有詩與之相比，都小氣。他平穩，博大。

但耶穌的思想襟懷，純粹理想主義，極端無政府主義，形上的，空靈的，不能實踐的。「真理」大致如此，凡切實可行的不是真理。老子的許多話也只能聽、想，無法去做。

人類脫出動物界，必然憂慮衣食住行。耶穌的論調極貴族，極清雅，而山下坐著密密麻麻的平民。誰頓悟耶穌在講什麼？二千年來，也極少有人明白耶穌說這話出於什麼心態。耶穌的知名度來自誤解。當不含惡意的誤解轉為飽含惡意的曲解——十字架就來。

偉大高超的人免不了作詩，作詩還能說說話。

耶穌看到百合花，想到人類的枉自勞苦。「機關算盡太聰明，反算了卿卿性命。」這是整個人類史。耶穌、老子、喬達摩，都是極度真誠敏感，感於人類的自苦，他們悲觀，是一想就想到根本上去。悲觀是這樣來的。

弄虛作假的人其實是麻木的。他們鑒貌辨色，八面玲瓏，而對自然、宇宙，極麻木。真正敏於感受，是內心真誠的人，所以耶穌見百合花就聯想到所羅門。

這段話非常悲觀，清醒，無可奈何。欲語還休地說出來，強烈的詩意，無懈可擊的雄辯，有一種暫時的動人性，當時聽者動了，事後還是糊塗，還是茫然——這就是詩。

鄭板橋謙遜，說他難得糊塗；我驕傲，因為我一直糊塗，一直迷戀於耶穌。「明天有明天的憂慮，今天的憂慮今天當。」這已超越哲學、宗教，就是一片愛，一片感歎。

最美的東西超越藝術。所謂歸真反璞，那真和璞，必是非宗教、非哲學、非藝術。神奇極了。郭松棻先生說我的寫作來自「彼岸」，彼岸，就是超越宗教、哲學、藝術的所在，那所在，我不會向大家坦白。

中國人曰：修身、齊家、治國、平天下。

耶穌說：勿論斷人，否則必將被人論斷……。

這說明耶穌思想的東方性。西方是論斷與被論斷，中國魏晉也是論斷與被論斷。

然而，耶穌自己就論斷。

全部基督教教義，就是「你要人如何待你，你就如何待人」。

這一句話最簡單、最易解，但人類已做不到了。

這是首要的問題，是最絕望的問題，也可能是最有希望的問題。

損人利己，愛人如己。

悲哀的是，人類已迷失本性，失去了「己」。

尼采說：十九世紀，上帝死了。

我說：二十世紀，人類死了。

我的文學，有政治性，是企圖喚回人類的自愛。推己及人，重要的先還不是「人」，是「己」。若人人知愛己，就好辦了。西方是個人主義。個人主義，是指先從自己做起，不是自私自利。

你們要進窄門。因為引到滅亡，那門是寬的，路是大的，進去的人也多；引到永生，那門是窄的，路是小的……。

在此問題上，耶穌教比佛教來得誠實（佛教講大話）。

基督教是個人主義，西方知識分子易相信，愛人如己。中國知識分子愛信小乘，終生做起。愚夫愚婦信大乘，要上天國。

小乘有可能，大乘不可能。

達文西畫意：

聖・安娜（Saint Anna）——→知（或智）
聖・瑪利亞（Blessed Virgin Mary）——→愛
耶穌（Jesus）——→救世主
羔羊——→人民

公式：知與愛永成正比。知得愈多，愛得愈多。逆方向意為：愛得愈多，知得愈多。

秩序不可顛倒：必先知。無知的愛，不是愛。

在我這兒學東西，會浪費，或會誤用。像樣一點的思想，是有毒的。尼采是很毒的，耶穌是很毒的。

知與愛到底是什麼？就是希臘神話中伊卡洛斯的翅膀。

知是哲學，愛是藝術。藝術可以拯救人類。

普普藝術、觀念藝術，是浪子，闖出去，不管了。現在是浪子回頭，重整家園。

# 第7講
# 福音

**耶穌的態度　召集罪人　〔馬太福音〕十章　如放羊入狼群**

1989.6.10
在般梅家

你獻身信仰，不能考慮倫理倫常關係。凡偉大的兒女，都使父母痛苦的。往往他們背離父母，或愛父母，但無法顧及父母。

耶穌早生二千年，在耶穌時代，自認是上帝的獨子；耶穌晚生二千年，自覺是個詩人。
推論下去，耶穌遲生二千年，會是尼采，比尼采還高，比貝多芬飛得還高。

人與信仰的關係，高於人與人的關係，高於人倫關係。政治家關鍵時不顧家。藝術家也常不顧家。

# 耶穌是永不得平反的冤案

講文學史的目的，乃觀察方法，思想方法，分析方法。

遠水不救近火。需要水，思想和藝術的水。我們講課，是遠水。善惡、新老之間，起因、過程的演變……要講策略，不能浪漫主義。和巴黎公社很像，生存兩個月。面對瘋狂，不可以浪漫主義相對之。

人曰：耶穌，你無論去哪裡，我都跟從你。

耶穌答：狐狸有洞，飛鳥有窩，人子卻無放枕頭的地方。

為什麼，我以為是耶穌不信任他，避開他，口氣又悲傷又誠懇——對花言巧語，最好以這種口氣。

門徒說：主，容我先回去埋葬父，再回。

耶穌說：讓死人埋葬死人，你就跟隨我吧。

這又是一種態度。他看出這個門徒是誠懇的，但不夠聰明，故認真對他，要他別走，留下來。

你獻身信仰，不能考慮倫理倫常關係。凡偉大的兒女，都使父母痛苦的。往往他們背離父母，或愛父母，但無法顧及父母。

若希望兒女偉大，好的父母應承當偉大的悲慘。

以上是耶穌對兩種人的兩種態度。後者涵義深。

一日耶穌坐席，一些稅吏和罪人來，與耶穌和他的門徒同坐，吃飯。法利賽人見，就問門徒：你們的先生何以同罪人、稅吏吃飯？耶穌答：健康者無須醫生，只有病人需要醫生⋯⋯。

我本非來召集義人，我來召集罪人。

我以為耶穌乃招義人，他對罪人的態度，很曖昧，很矛盾。這裡有一個千古奇案，即愛與恨的關係。有愛才有恨，有恨才有愛。

老子主張既不愛又不恨，以境界論，高則高矣，奇苦無比。

晉王羲之不同意這種無愛無恨的思想。魏晉風度，概括之，以巧妙的言行，表達大愛大恨。

嵇康無法約束其愛恨，招死。

上句耶穌「召集罪人」之意，乃語帶憤恨，自知不久要被罪人害死。同時約翰的門徒來見耶穌：我們常禁食，你的門徒何以不禁食？耶穌答：新郎和陪伴的人同時在的時候，伴者怎能哀慟呢？新郎走了，伴者再禁食。

大智大慧者，絕食是辦法，不絕食也是辦法。禁食這類細節，耶穌不放在心上。

他為約翰受洗後，禁食曠野四十晝夜，超越，不在乎這些東西。

人要從小就不凡。凡把思想抱負寄託在天上、精神上、真理上，必不願遵守世俗規則、細節、教條、律法，必不在乎世俗生活。

基督教、佛教，都是平民的宗教。道家思想（不成其為宗教），極端貴族的。

〔馬太福音〕第十章。

十二門徒：

西門（又稱彼得〔Peter〕）、安德烈（Andrew）、西庇太的兒子雅各（James）、約翰（John）、腓力（Philip）、巴多羅買（Bartholomew）、馬太（Matthew）、多馬（Thomas）、亞勒腓之子雅各（James son of Alphaeus）、達太（Thaddaeus）、奮銳黨的西門（Simon the Zealot）、猶大（Judas）。

耶穌差他們去外省，邊走邊講：天國近了，你們懺悔吧。沿途醫治病人，你們白白得來，也要白白捨去，勿多帶衣，勿帶鞋、拐杖，因為工人得飲食是應當的，住好人的家，進他家裡去，要向他請安，不納者，走開。

教訓是苦行的。要不生產、不獲，討飯，苦行。

> 我讓你們去，如放羊入狼群，所以你們要機警如蛇，馴良如鴿。
>
> 被人捉住時，勿考慮說什麼。上帝自會教給你說什麼。
>
> 兄弟要把兄弟，父親要把兒子，送到死地。

唯忍耐到底的必然得救。哪城迫害你們，你們都到另一城去。
那殺身體的人不能殺靈魂的，不要怕他們。

為真理都要準備好犧牲。

我不是叫地上太平的。我是叫地上動刀兵。因為我來是叫：
兒與父生疏，女與母生疏，媳婦與婆婆生疏。
人在世界上的敵人都是自己家裡的人。
愛父母勝過愛我的，不配做我門徒。愛子女勝過愛我，不配做我門徒。為
我獻出生命者，能得到生命。

二千多年過去，這些問題太大了。我想想也害怕，門徒們何曾好好想過。
二千年後，天國仍遠，耶穌是幻想嗎？
以羊入狼群，注定滅亡，何以耶穌仍讓他們前去？
在極權下，必須如鴿馴良，如蛇機警。

耶穌有極溫柔的一面，極剛烈的一面。
如尼采說：人靠什麼創造呢？人靠自我對立而創造。
耶穌的溫柔特別細膩，剛烈特別斬釘截鐵。
出於溫厚的真摯，他的人性的厚度來自深不可測的真摯的深度。
耶穌早生二千年，在耶穌時代，自認是上帝的獨子；耶穌晚生二千年，自覺是個詩人。
推論下去，耶穌遲生二千年，會是尼采，比尼采還高，比貝多芬飛得還高。
何必計較宗教家、哲學家、藝術家，歸根結柢是一顆心。都是伊卡洛斯，都要飛高，都一定會跌下來的。
一方面這些偉人都是為人類的，但另一方面，又是與人類決裂的。為什麼？思考題。
耶穌所答，常用以下公式：非直接的針對性。或曰，間接的針對性。凡遇重大問題，不能直接回答，要間接回答。

耶穌評論他的前輩（約翰），詩意洋溢。他說：

你們從前走到曠野去，是要看什麼呢？看風吹蘆葦嗎？看穿細軟衣服的人嗎？他們在王宮裡。要看先知嗎？是的，約翰要比先知大得多了，上帝派他來鋪平前面的路。

說約翰，其實是說自己。路是自己走的，約翰鋪路。

我的文學引導之路，就是耶穌。

幸虧相隔二千年。真與耶穌相處，不易。托爾斯泰、貝多芬，與之生活，不易。但他們的文學、音樂，能與我同在。

他又說：「在天國裡，最小的也比約翰還大。」又說：「眾先知和律法說預言，到約翰為止。」意指從我開始，不再如從前。

宗教的全盛期已經過去。耶穌出來時，達到一個全盛時期。以後的使徒行傳，都沒有創造性言論。

尼采說，真正的基督徒只有一個，即耶穌。

天才的命運都是被利用的，被各人各取所需。

耶穌是永遠不得平反的冤案，都被誤解。

〔馬太福音〕講完時，耶穌正對眾人傳道。其母、兄出現，要和他說話。他回答：誰是我母？誰是我兄？你們是我母，是我兄。

這是一個崇高的信仰原則。人與信仰的關係，高於人與人的關係，高於人倫關係。政治家關鍵時不顧家。藝術家也常不顧家。

耶穌不是對父母無情。他昇華在一個至高的境界裡，母、兄出現，使他覺得是個凡人。因此，他說上述很彆扭的話。是辯解，是嘲笑。

所有有趣的小孩子在學校走，突告母親、姊姊送傘來，必羞臊，這是心理。小學，性質上就是伊甸園。兒童有兒童的浪漫主義，一時出現父母，即拉回現世。天堂人間不能共存，世俗和理想難以溝通。

所以，耶穌講小孩子可以進天國。

耶穌是個孩子。

第8講

# 新舊約續談

〔馬太福音〕十三章、十四章　五餅二魚　耶穌的悲劇

1989.6.25
在薄茵萍家

耶穌的志願，章節分明。該逃的時候逃，該說的時候說，該沉默的時候，一言不發，該犧牲了，他走向十字架，最後他說：「成了。」

從藝術的價值判斷，耶穌是「成了」，從人生的價值判斷，耶穌愛世人是一場單方面的愛。世人愛他，但世人不配。二千年來世界各國的愛放在天平這邊，天平的另一邊，是耶穌在十字架上的絕叫。

## 耶穌對人類的愛，是一場單戀

新舊約，文學性都高。前面幾課都是講〈新約〉言論。

〔馬太〕第十三章，耶穌在船上傳道：

> 農夫出去撒種，有的種子落在路旁，飛鳥來吃盡了，有的落在土淺的石頭地上，土既不深，發苗最快，太陽出來一曬，因為沒有根就枯萎了，有的落在荊棘裡，荊棘長起來，把它擠死了，又有的落在沃土裡，就結了實，成為三十倍、六十倍、甚至一百倍的。

這段的解釋，通常說是命運遭遇的無常，自我能動消失了。我以為耶穌的意思，是好種子要選好泥土，做播種人要找好去處——人就是種子，勿入路中、淺土、荊棘，枯萎早夭，務必落在沃土中。

中國有沃土嗎？種子，泥土，天性，才華，泥土貧瘠，荊棘叢生，再好的種子也沒用。天才必經修煉、涵養，才有味。佛提出戒、定、慧。戒，有所為，有所不為，以人工控制天性；定，乃是過程，不至亂；慧，即天才的覺悟。出來了，你是好天性，好才華，來找好泥土。

門徒對耶穌說：「你講道為什麼總是用比喻？」耶穌說：「因為天國的奧秘只叫你們知道，不叫他們知道。凡有的，還要加給他，叫他有餘；凡沒有的，連他所有的，也要奪去。所以我用比喻對他們講，是因為他們看也看不見，聽也聽不到，在他們身上，正應了以賽亞的預言，『你們聽是要聽見，卻不明白，看是要看見，卻不曉得』，因為這些百姓的心是油蒙了的，耳朵發沉，眼睛緊閉，要等到眼睛看見，耳朵聽到，心裡明白，回轉過來，我就醫治他們。」

耶穌又說：

但你們的眼睛耳朵有福了，因為你們看見聽見了。我實在告訴你們：從前有許多先知和義人，要看你們所看的、所聽的卻沒看見、聽到。

這是耶穌與門徒間的「悄悄話」、「私房話」，不該外傳的，從前的人老實，說出去了。

大多數人是愚氓，極少數人是精英，這是規律。那些聽道的群眾，頑石點頭了，點過之後，依然是頑石。耶穌很明白：言，要說給懂的人聽；道，卻是對民眾講的。他心裡知道，群眾聽不懂。

如果我們出書，印數十萬，哪有十萬人能懂？

教堂，人進人出，誰懂教堂？教堂不動，你來也罷，不來也罷，但總有二、三賢者智者懂。

為什麼先知、宗教家、哲學家要用比喻？從西方史詩到中國《詩經》，充滿比喻，幾乎是靠比喻架構完成的。從前的政治家、大臣、縱橫家，勸君，為使其聽，用比喻；對下民說，知其不懂，也用比喻。

說明人類的智力還在低級階段。

真的相愛的人，不語，一瞥，不需比喻。智者面對，相視而笑，也不用比喻。比喻，是不得已。

最美的是數學和音樂，令人著迷，完全沒有比喻。繪畫就是比喻，繪畫和文學都脫不了比喻。我也嗜好比喻，但只能在音樂、數學裡找安慰。

比喻不是好事，是苦中作樂。莊周最會漫無邊際作比喻，老牌形象思維大師，如果我與莊子會面，他開口大鵬、烏龜之類，我就說：「莊兄，別來這一套，二律背反，就二律背反，權力意志，還是自由意志，大家表態。」

中國向來是「天機不可洩露」，否則要處死。中國人說天人合一，其實天不欲和人合一，是人的一廂情願，天愛吊人胃口，愛出謎。

耶穌回家鄉訓眾，鄉親先是詫異耶穌這般智慧，後來更詫異，說：他不是那個木匠的兒子嗎？他媽媽不是瑪利亞嗎？他的兄妹還在家鄉。

先知在故鄉是不受尊敬的。每個人要保留一點神秘感，使人不知你。否則像耶穌那樣，在家鄉被人看輕，被人欺負。

人類總是以誤解當做理解，一旦理解，即又轉成誤解。

藝術家要留一份「神秘感」，保護自己。你自以為君子坦蕩蕩，結果呢，招鬼上門，引狼入室。

〔馬太〕十四章，三件事可談，這三件事，既現實，又象徵：

其一，希律王殺施洗約翰，耶穌知道了，立刻逃。

其二，某次五千人聽道，餓，耶穌以五個餅、兩條魚，掰開平分，都得到，還有餘。

其三，傳道散了，耶穌獨自在海面走。門徒驚異，耶穌說勿驚。彼得也從水面走去，怕落水，呼救，耶穌拉他的手近攏，說：你這小信的人，為什麼不信我？

第一題。耶穌是準備奉獻的，為什麼逃？因為他知道獻身還不是時候。他逃過好幾次。不到時候，不獻身。

第二題。以宗教意義論，奇蹟；以藝術觀點看，沒有比這個比喻更顯示藝術的偉大功能。藝術以最少的材料，表呈最多的含量。一本書，一幅畫，一首樂曲，可以滿足感動千千萬萬人，一代代流傳。博物館是人類的食籃，永遠吃不完，是最佳比喻。

中國的老話：「不患寡，患不均。」傳說王賜五枚棗，以五鍋湯分煮，煮爛，眾喝湯──寡，然而均。今日中國的政治，沒有透明度，只要透明，民服。

第三題。以宗教看，奇蹟之一，是用寓言對待其象徵性。一個人能否成大器，主觀因素最重要，被人忽略的是信心、是信念。信心、信念，一半憑空想，一半憑行動（用功、才能等等）。我的大半生，閱人多矣，閱藝術家多矣。確切說，想成為藝術家者多矣，此後生如行於海，磨難如風浪，但太多人行於海，怕沉沒，害怕了，有人沉沒，有人時浮時沉。

一路多小信的人。

我不比人慧，不比人強，數十年間認識的精英分子前後六批，凡五十人，有大才，甚至天才，至今剩我一人。如果他們成了，文藝復興。

下了海，要走下去。

天才幼年只有信心，沒有計畫。天才第一特徵，乃信心。信心就是快樂。傍晚閻人遛名狗，我傍晚也散步，遛哲學。狗沿途撒尿，遛哲學的人，報償是巧思和警句，回家寫，比想的時候更佳，大幸福。

信心到底哪裡來？信心就是忠誠。立志，容易，忠誠其志，太難。許多人立志，隨立隨毀，不如不立。藝術、愛情、政治、商業，都要忠誠。求道，堅定忠誠無疑，雖蹈海，也走下去。
所謂第二流者，是原來志在一流，天時、地利、人和，均不合，成了二流。如果甘於二流三流，已經居下流了。
和朋友談話，沒在山頂上。尼采說，山頂到山頂，不是自下往上爬到的，而是此山頂登彼山頂，兩點一線。
史家、文學家，著作第一。著作有了，才演講。中國不是著作等身，是身在等著作。成也好，敗也好，我們的陣地在書齋。
信心來自天性的純真樸厚。
反證：一個天性虛偽浮薄的人，會忠誠於自己的信心嗎？怎樣才是純真樸厚的天性？碰壁了，碰到上帝。天性大半是混雜的，靠抵惡，靠揚善。
現在有句很動人的世界性口號：「我們只有一個地球。」我心中也有呼籲：「我們只有一個耶穌。」關於新舊約的故事和涵義，總共做了四講，終究言不盡意，很對不起耶穌。
諸位要是真心在聽，就該知道我的解釋過程，就是我的自我教育過程。一個人衷心讚美別人，欣賞別人，幸福最多——他是在調整自己，發現自己。你認識了一位智慧的、高尚的、真誠的人，自然會和原來的親戚舊識作比，一作比，如夢初醒，這個初醒的過程，不就是自我教育嗎？

所謂教育，是指自我教育。一切外在的教育，是為自我教育服務的。試想，自我教育失敗，外在教育有什麼用？

凡人沒有自我教育。所謂超人，是指超越自己，不斷不斷超越自己。

耶穌的悲劇，多重涵義，那是超人和凡人間的悲劇：他有門徒，沒有朋友。最動人的是耶穌在橄欖山上的絕唱：當他做最後的憂愁的祈禱時，門徒一個個撐不住了，睡倒不醒。他們是凡人，老實人。開始時，耶穌需要信徒、門徒，但在快要赴死的時刻，他需要朋友。那一刻，門徒們、凡人們，怎麼可能上升為朋友？

耶穌的志願，章節分明。該逃的時候逃，該說的時候說，該沉默的時候，一言不發，該犧牲了，他走向十字架，最後他說：「成了。」

從藝術的價值判斷，耶穌是「成了」，從人生的價值判斷，耶穌愛世人是一場單方面的愛。世人愛他，但世人不配。二千年來世界各國的愛放在天平這邊，天平的另一邊，是耶穌在十字架上的絕叫。

所以，耶穌對我永遠充滿魅力，也使我永遠悶悶不樂。

在這樣複雜的心理狀況下，這堂課算是講完了。耶穌留下的典範是什麼呢？愛，原來是一場自我教育。

「原來」兩字，請不要忽略。在座有人在愛，有人在被愛，很幸福，也很麻煩。最後一句話：「愛，原來是一場自我教育。」——論信仰，耶穌是完成的；耶穌對人類的愛，是一場單戀。

第9講

# 東方的聖經

**阿利安族　婆羅門神　毗濕奴　濕婆　輪迴　喬達摩**

1989.7.16

宗教是父母，藝術是孩子。藝術只有一個朋友：哲學。

以下是藝術與哲學的對話——

藝術：我是有父母的，你怎麼沒有？

哲學：我是私生子。

藝術：一點傳說也沒有嗎？

哲學：聽說過，是懷疑。

藝術：你生來連童年都沒有？

哲學：我們是沒有神童的。

藝術：（沉思）。

哲學：老弟，別哀傷，哲學可以返老還童。藝術是童年在前，哲學是童年在後。藝術，你也可以尋得第二次童年啊！

東方經典以佛經最高。手邊沒有，以後補。波羅蜜多，即反覆證明之意。

我用我的方法結論示眾，希望每個人建立起自己的方法論。零碎分散的知識愈多，愈糊塗。在美中國學者大抵如此。林語堂、胡適之，個個振振有詞。

知識，要者是理解知識與知識之間的關係，如此能成智者。

聲明：方法論，只是手段，不是目的。

什麼是目的？太難說——黑格爾、笛卡兒建立方法論，馬克斯太重方法——為什麼目的難說？

因為宇宙是無目的。

伯恩斯坦（Eduard Bernstein）的《社會主義的前提和社會民主的任務》（*Die Voraussetzungen des Sozialismus und die Aufgaben der Sozialdemokratie*）說：「運動便是一切。」被批判近百年。伯恩斯坦倒是最淺顯道出唯物論真諦。

宗教是什麼？就因為宇宙無目的，方法論無目的，也是架空。宗教是想在無目的的宇宙中，虛構一目的。此即宗教。

哲學家是懷疑者、追求者。科學家解釋、分析，過程中有所懷疑者，則兼具哲學家氣質了。或曰，這樣的科學家是有宗教信仰的，為宗教服務的。西方大科學家不滿於老是追求科學，總想進入哲學、宗教，進進退退，很有趣。

藝術家可以做哲學家、宗教家、科學家不能做的事。藝術家是浪子。宗教太沉悶，科學太枯燥，藝術家是水淋淋的浪子。他自設目的，自成方法。以宗教設計目的，借哲學架構方法。

然而這不是浪子回頭，而是先有家，住膩了，浪出來，帶足哲學、宗教的家產，浪出來。

不能太早做浪子，要在宗教、哲學裡泡一泡。

## 婆羅門教、輪迴

奇怪的是，世界智慧都從東方來：基督教的《聖經》自東方來，成了歐美的主要宗教，釋迦更是標準東方的，二十世紀存在主義之後的哲學，對禪宗也迷。佛教經典是龐大、豐富、雜亂的。而禪宗是精神快餐，易傳。

自烏拉爾山講起，阿利安族（Aryan，雅利安人，或譯為亞利安人）住在那一帶。歷史上，這一族忽然越過山脈，向西方去。後來的拉丁族（Latin）、條頓族

（Teutonen）、斯堪地納維亞族（Skandinavien），據說都是阿利安族的後裔、分支。

偏不往東方走——至今我們小眼塌鼻。

阿利安族一支遷行，南偏，成就日後的印度。印度半島本來有很多人住在那裡，阿利安族與之通婚，傳以宗教和文化，但阿利安族以主人自居，占據最高的貴族地位（今之印度的貴族，皮膚並不黑），建立階級制度，架構了一個奇異的幾乎不可思議的宗教，所謂「印度教」（Hinduism），是印度宗教的總稱，共有二萬三千個神，幾乎每一鄉村即有一個神。這個印度教，就是四千年前阿利安族從北方帶來的婆羅門教的殘餘。

誤解：佛教出自印度。不要以為印度人都信佛教，不是的。佛教在印度早已式微，婆羅門教才大。

神多，很難追索教主。故稱原始神婆羅門（Brahma），指一切的最高之始。承認婆羅門是大神，也承認眾小神。Brahma 神，創造者；Vishnu 神，譯作「毗濕奴」，保存者；Siva 神，譯作「濕婆」，破壞者。

創造者婆羅門神有四個頭，四隻手，一手王杖，一手經，一手瓶（恆河水），一手念珠。保存者 Vishnu 神，一個頭，四隻手，正面雙手上下攤張，背後兩手，一手拿花草，一手執果實。破壞者 Siva 神，一個頭，四隻手，正身兩手，上下並，右手見掌心，左手露手背，腰間出雙手，一手武器，如狼牙棒，一手野獸，若山羊。

印度是宗教國家，階級制度有強迫性。婆羅門教領袖，稱婆羅門（Brahmana），意即勝利。次為剎帝利（Ksatriya），是武士，主軍隊。三為吠舍（Vaisya），指地主、工商、農民。四為首陀羅（Sudra），指奴隸、樵夫、汲水者。

每級又分成無數小階級。

印度積弱即在此。唯有婆羅門族，血統最好，通婚只限於自階級。印度鄉間的原始婆羅門教已散微。婆羅門教給印度留下最重要的是，信仰靈魂經無數次輪迴再生。輪迴多少，決定於善惡，前生決定今生，今生決定來生。

此律不可忽視。尼采高度重視此說，西方都重視的。

不可不信，不可全信。尼採信，信其死後靈魂還在。死不是解脫，沒那麼容易，死後沒完。

佛教即要情境寂滅，擺脫輪迴。

婆羅門教在印度勢力很大，基督教也有勢力。我猜想，是因佛教太深奧，伊斯蘭教太抽象，基督教精神與印度不合，故婆羅門教合民眾。

世上最古的經典是《吠陀經》，比〈舊約〉中最古的書還要古，阿利安族在喜馬拉雅山高原地區時（尚未西去與南遷時）就已具有，內容是：頌贊、祈禱、禮儀、哲學。《吠陀經》著作年代不可考，總之是集體作品，許多時代許多詩的總和。

## 釋迦牟尼：一切眾生皆平等

喬達摩（梵文Gautama，「釋迦」是尊稱），佛教創始者。

今日印度的佛教徒極少了。十九世紀統計，世界上的佛教徒，約五分之四在中國（包括西藏）約五分之一在日本，還有高麗。今中國佛教徒也大大減少了。

佛教與婆羅門教的關係，猶若基督教與猶太教的關係，新教與舊教之分。

喬達摩生在彭加爾的北方。公元前約五六五年誕生，比耶穌早好幾百年。

釋迦還有一稱呼：釋迦牟尼。釋迦是族名，有釋迦族，意即有神意。牟尼，是寂靜沉默的意思，有神意的寂靜沉默之人。

釋迦的小名，悉達多。父親是城邦之王，叫淨飯王（King Suddhodana），迦毗羅衛城（Kapilavastu）城主。母親叫摩耶夫人，生釋迦七天後即辭世（偉大人物的母親都很慘苦）。悉達多靠姨母養大。十九歲結婚，擁巨大財產，體健壯，面俊美，妻豔麗而賢慧，婚後得貴子。世上美滿都有了。

悉達多不安於這種幸福平靜的生活。二十歲出宮遊覽，見到了生老病死。回宮後大不樂：做人有什麼意思？

不久決定出家。帶一僕人出宮，行不久，差僕人牽馬提刀回宮去，自己走——走向偉大。

到藍摩國，國有婆羅門教。悉達多剃髮做了和尚。到王舍城外阿蘭若林去跟一位迦羅摩（Alara Kalama）求道，有步驟修煉各種禪定。曾經絕食，體傷，卻沒有得到啟示，復進食。門徒責其意不堅，答，健身，繼續求道。

行到一棵樹下，鋪好草，結跏而坐。此樹稱菩提樹，喬達摩說，不得道不起身。沉思，二月八日，見繁星，大悟（佛教稱正覺）。時三十五歲，成道過程六年（二十九歲到三十五歲）。

得道後，周遊四方，化導群眾，前後四十多年，死於公元前約四八七年。佛教稱死為「示寂」，在世為「款世」，活七十九年，比耶穌長壽。

喬達摩是世上最偉大的人之一。他是自我犧牲，清靜寂寞，思辨深刻，靈感豐富。

（十六字加起來，我又要拉入藝術家了——多像！）

他的遺訓在信徒中口傳，當時沒有經。經文用印度人日常口語，涵義：一切眾生皆平等（在階級制度頑固的印度，喬達摩自己又是王子，此說極前衛，極革命）。一切苦惱源於自私、貪欲。不論貧富貴賤，如果能斷絕邪念，斬斷私欲，可以在另一個世界得無量幸福。

這就是喬達摩的目的。叔本華有目的，但叔本華學說照搬佛經。

對照婆羅門教祭神，喬達摩不來這一套，只注重自我祈禱修行。他心中的神不需要人祭，無功利觀念，唯重視悔過和祈禱（猶太教講祭拜，基督教不講，重內心修行）。

當時在印度，此說很新、很平等，為婆羅門教驅趕。或許因此，佛教傳到了中國、日本、東南亞，反而在本土漸漸失去勢力。

唐宋文人每稱居士，指在家修行，信佛教。出家則要剃度。我幼年時，袈裟、芒鞋、法號，皆備齊。因為我上面有五個兄長已死，防我也死，要我出家。我不肯焚頂行禮，逃出來，但耳朵上穿了一個洞。

佛教吸引中國最有學問的人去研究，說明佛經的文學性、哲理性之豐富。近者如章太炎、魯迅，都涉入。章的學說，就是以佛經與老莊哲學的融合。

研究佛經，是東方智者和知識分子的一個「底」。今天的中國學者，就缺這個「底」。希望大家多接觸一點佛家的原典。

除了喬達摩，東方還有一位宗教大師瑣羅亞斯德（Zoroaster。編按：公元前六二八—前五五一。又譯查拉圖斯特拉）。不講。現在已不太有人記得。

（以下段落失記。）

東方還有一教，中國人不太知道，是波斯教。一千三百年前被阿拉伯人趕出波斯，居於印度，成瑣羅亞斯德教（Zoroaster。編按：瑣羅亞斯德所創）。該教教義中，萬物之初有兩個神，一光明，一黑暗。人的靈魂是兩個神的永久戰場。

猶太人則信仰不同的《聖經》。

## 宗教、藝術、哲學三角關係

宗教和哲學的起源問題，都是要求知，但在這點上，開始分歧，決定了宗教和哲學要發生戰爭。宗教長期迫害哲學家。哲學家不迫害宗教，但可置宗教於死命。歷來哲學家受迫害，到十八、十九世紀，哲學全然戰勝宗教。

宗教是由對自然現象要求正名而來，可指為神。上帝、佛，有了正名，可以呼叫，還要有形，可以膜拜。正名、賦形後，還不親切，遂有人類自身的形象出現，崇拜人身的神，比崇拜自然現象與圖騰圖案要親切得多。

基督教中長鬍子的耶穌還是初民社會酋長觀念的延伸。中國的佛像沒有老少之分。如來，不去不來之意，三生如來，指過去、現在、未來。

所有宗教以人自己的形象來塑造神，是一大敗筆。近代如愛因斯坦終於說：「我是有神論者，但具有人形的上帝，我不相信。」

從「不具人的形象的上帝不可信」到「具有人的形象的上帝不可信」，是一大轉變，前後去幾千年，但信仰或崇拜不具人形的上帝，畢竟還是尷尬。「客客氣氣的無神論」、「不講禮貌的無神論」，都求一時痛快——人慣於「Yes」或者「No」，宇宙沒有 Yes 或者 No。

我要相信，或者，我要推翻的那個神，都不是曾經說過的那個神。我最心儀的是音樂、建築、繪畫所體現的宗教情操，那是一種圓融的剛執，一種崇高的溫柔。以這樣的情操治國、建邦、待人接物，太美好了。

人類既有這樣美好的情操，不給自己，卻奉給上帝，數千年沒有回報，乃是最大的冤案。聽聽聖歌，看看偉拔教堂，可知人類多麼偉大。人類的悲劇，是對自身的誤解。

宗教是要把人類變成天上的神的家畜，人再也回不到原來野生的狀態。家畜成為人類的犧牲品，人類成為自己的犧牲品。尼采說，人本來有這樣多的情操，不應該交給上帝。

這是指教廷、佛門等等，不是指基督、釋迦。

宗教歸根結柢是意識形態，是文化現象。宗教與哲學的分野，一個是信仰，一個是懷疑。宗教，稍有懷疑，就被視為異端。

巴斯卡是默默悄悄的異端，聖．奧古斯丁無異端之才。愛默生是異端，艾略特（Thomas Stears Eliot，一八八八—一九六五）將異端作為裝飾，葉慈沒有犧牲多少哲學，就換來信仰。

一個中國的紹興人說出尼采沒有說出的最重要的話：「美育代宗教。」這個人是蔡元培。「代」字，用得好，宗教不因之貶低，美育也不必罵街，斯文之極，味如紹興酒。

所謂超人，就是超過自己。

近代誰最理解耶穌？華格納。尼采在他的時代聽不進，不能公正評價華格納。

佛教造大佛，用於視覺；擊鼓敲木魚，用於聽覺；焚香，用於嗅覺；素食，用於味覺——人類這般偉大、聰明，為什麼不用於人類自己，而去奉神？

希望大家重視宗教藝術，要把含在宗教裡的藝術，含在藝術裡的宗教，細細分開來。先明白基督教、佛教等是怎麼回事，瞭解其人格高超、一等，然後再去接觸宗教的建築、服裝、禮儀、繪畫、雕刻，原來是這樣體現人類最高精神、最高智慧，而這等宗教文化，又是如何經過興衰存亡的過程。

這是很有味道的事。你到歐洲，撲面而來的都是藝術和宗教。給父母、子弟、情人的，也不及人類把最好的情操送給上帝、送給宗教。

三思考題：

如果不憑藉宗教，藝術能達到飽和崇高的境界嗎？

藝術這麼偉大，為什麼要依附宗教？

宗教衰亡了，藝術自由了、獨立了，藝術是否更偉大？

三題可有一解：

宗教是父母，藝術是孩子。藝術在童年時靠父母，長大後，就很難管。藝術到了哀樂中年，漸漸老去，宗教管不著了。藝術是單身漢，它只有一個朋友：哲學。

以下是藝術與哲學的對話——

藝術：我是有父母的，你怎麼沒有？

哲學：我是私生子。

藝術：一點傳說也沒有嗎？
哲學：聽說過，是懷疑。
藝術：你生來連童年都沒有？
哲學：我們是沒有神童的。
藝術：（沉思）。
哲學：老弟，別哀傷，哲學可以返老還童。藝術是童年在前，哲學是童年在後。藝術，你也可以尋得第二次童年啊！

第10講

# 印度的史詩、中國的《詩經》

《摩訶婆羅多》《羅摩衍那》 關雎 將仲子 簡兮 采葛 擊鼓

1989.8.20

《摩訶婆羅多》出在印度之西，《羅摩衍那》出在印度之東。前者講戰爭，後者講英雄。前者艱深，有哲學，難懂；後者浪漫，易傳。

《詩經》原本是個人主義、自由主義的壓抑，可是幾乎所有中國文人接引《詩經》都錯，都用道德教訓去看《詩經》。詩就是詩。《詩經》之名，是錯的。

中國沒有與荷馬同等級的大詩人，乃中國的不幸。如果中國有宏偉的史詩，好到可比希臘史詩，但不能有中國的三百零五首古代抒情詩，怎麼選擇呢？我寧可要那三百零五首《詩經》抒情詩。任何各國古典抒情詩都不及《詩經》。

## 印度史詩：一寫戰爭，一寫英雄

印度史詩太笨重，範圍全在印度，無人能通讀，只能概括精華。印度史詩有兩部：

一，《摩訶婆羅多》。

二，《羅摩衍那》。

世界上對這兩部史詩所知甚少。印度國內，據說老幼都知道，能讀，能懂，好比中國人熟知《西遊記》、《三國演義》。印度人將史詩中的英雄美人自比生活中的男女。

印度史詩的篇幅，二十萬行，相當於《伊利亞特》與《奧德賽》合計的八倍，是世上最長的史詩。歌德《浮士德》一萬二千行，數量上不可比。抒情詩寫如許多行，真不知抒什麼情。

《摩訶婆羅多》出在印度之西，《羅摩衍那》出在印度之東。前者講戰爭，後者講英雄。前者艱深，有哲學，難懂；後者浪漫，易傳。世人有考據說，《羅摩衍那》與《伊利亞特》故事頗相同，是否出於同一故事？我細察過，仍不同。如果一個故事兩邊都寫，均不真實。能解讀這兩部史詩，以後看印度壁畫、布畫，情節故事就能懂。

印度人敘事好囉嗦，像他們的歌，咿咿呀呀，我把它寫到最乾淨，簡單說一說。

《摩訶婆羅多》（*Mahabharata*，一譯《瑪哈帕臘達》），講皇家的孩子戲玩，球落枯井，不得取出，見一婆羅門，請教，婆羅門請他們允諾賞飯，並將一枚戒指擲入井內，稱可取出。孩子大悅，允諾。婆羅門取草入井，如針刺球，一根一根接引，球遂取出；又以箭射中戒指彈回來，也取出。婆羅門對孩子說：去告訴國王，就說特洛那（Drona）在此即可。

國王知道這是大聖人巴拉德（Bharadwaja）的兒子，就請他來做王子的教師。昔特洛那得到父親傳授的武藝。父死後，他結了婚，有子，家貧。求舊友幫，不獲理睬。特洛那發誓報仇。之後，史詩講他報仇。

特洛那成了皇室教師後，境況大好，耐心教育。有個孩子阿琪那（Arjuna），稱必要報效老師，老師有所示，孩子就去做。

皇家子孫紛紛要特洛那做老師。那時，各皇家是並列的，子孫都要從特洛那為師，遠地的皇孫，特洛那不擬收。其中有一位依卡拉夫耶（Ekalavya）求師不得，回樹林塑特洛那泥像，跪拜，專心學射箭。眾人報告特洛那，特洛那問孩子的老師是誰，答曰依卡拉夫耶稱老師也是特洛那。特洛那親自去看，孩子下跪，聽訓。特洛那稱：英雄！但如果你真的自認是我的學生，需交費！學生說：可以獻任何東西給老師。老師說：我要你的大拇指。學生毫不猶豫割了大拇指，獻給老師。從此，這孩子就不得射箭了。

古時候的愚忠，真可哀！這種愚忠其實是極高尚、極真摯的感情，可是沒有同等的智慧統攝，以致終為悲慘。

中國有一位尾生，等友人來橋洞。友不來，尾生竟不走，被水淹死。印度也有這種愚忠的人。勇士善射，怎麼可以獻出拇指？這孩子天性高尚、忠誠、仁厚，可惜沒有智慧。古人最高情感是「忠」，偏偏錯用「忠」。忠於國，忠於君，忠於父母謂之孝，忠於夫妻謂之貞，忠於兄長謂之悌，忠於朋友謂之義——往往愚忠。

古人忠而愚，今人聰明了，可是糟糕，真摯的情感也失去了。智慧是思維，道德只是行為的一部分。如果道德高於智慧，就蠢，就不得了。

話說特洛那教公子射，到了林中，問一個學生：看見鳥沒有？曰：見。又問：看見樹林和我沒有？曰：都看見了。特洛那問另一個學生：看見鳥、林樹、眾人否？學生答：我只看見鳥。特洛那大喜，令其射，中。特洛那說：這只見鳥的孩子是好學生。

學東西，要像射手只見其鳥，旁若無人。

特洛那教眾人學成，個個武藝高強。特洛那說：你們要報答，就把我的仇人擄來。之後是大戰，直到終於把仇人擄了來。特洛那說：啊，你來了，我還像從前一樣愛你。去吧。

古人可愛。動作之大！

古人為了爭一口氣，今人為了爭一筆錢。

故事太繁，都是講戰事，不講了。其實，史詩就是古代戰爭史。

《羅摩衍那》（*Ramayana*）講英雄美人。印度有城，名「永勝」。市民正直誠實，國王沒有子嗣。

按：古代所謂「國」，往往就是一個城邦。希臘、印度、中國皆然——說開去。神存在於三度空間之外，人存在於三度空間內。也許，神其實存在於四度、五度空間。人類已算出十一度空間，或許和三度相等而人不知。而三度或有某種美感，故神仙破十一度空間「下凡」。

於是有神下凡投到王室，使國王三個妻子懷了孕，生四子（其中或有雙胞胎）。四太子中，以老大（名叫羅摩 [Rama]，印度人自稱英雄，就說「我是羅摩」）最得人喜愛。及長，連風、水、鳥都愛他。

大戰。大戰後，隱士邀請老大去祭奠。置大弓。識一美女，其父稱非妻所生，是犁地時從泥土裡跳出來的。誰能開弓，美人就嫁給誰。於是五百人拉弓，老大輕易拉成了，弓斷。成婚。美女另有三個妹妹，各嫁公子二三四。

國王退位，王位傳老大。奶媽挑撥，要王廢老大，立老二為王。皇后哀傷，哭著告訴老大。老大不傷心，請使老二來，自己攜妻子遠去。全城傷痛。

老二不肯受位，駕馬車去森林見哥哥，跪求老大復出為王。老大堅拒，說乃父母之命，不可違。老二說，我代你為王十四年，十四年後你不回來，我就自焚。老大同意。

這是好人和好人之間的戲劇性。

老二回城，置老大金拖鞋於王座，自己在側代兄為王。

向來有惡與惡的戲劇性、善與惡的戲劇性，這善與善的戲劇性令我們感動的是，忘記了它的虛構性——置金鞋而代為王，簡直浪漫主義、唯美主義、象徵主義、理想主義都有了。

印度史詩長，是文學旅遊的奇蹟。這類文學，我主張知其大略，不求甚解。

## 《詩經》：悲苦之聲

現在回娘家，講中國的《詩經》。

中國沒有史詩，沒有悲劇，沒有神話，沒有宗教，好像臉上無光。何以見得？不是中國也有神話、悲劇、佛教之類嗎？答曰：以西方模式的宗教神話、悲劇史詩論，中國是沒有的。宗教沒有教宗，悲劇沒有西方的自覺，是大團圓的悲劇。大團圓意識深入文學家意識，少數天才如《紅樓夢》是想寫悲劇的，還是弄成大團圓。中國的神話，是零星的，非系統的。神話、英雄，加天才，即史詩，中國沒有此物。

整個《詩經》是悲苦之聲。我罵儒家，是將好好一部《詩經》弄成道德教訓，詩曰如何如何……《詩經》原本是個人主義、自由主義的壓抑，可是幾乎所有中國文人接引《詩經》都錯，都用道德教訓去看《詩經》。

詩就是詩。《詩經》之名，是錯的。弄成經典，僵化詩、教條詩——文人稱《離騷》是《離騷經》，稱《莊子》為《南華經》，稱蘇東坡前後《赤壁賦》為「讀前後勝讀南華」。

中國沒有與荷馬同等級的大詩人，乃中國的不幸。今天不再可能出了。我想，如果中國有宏偉的史詩，好到可比希臘史詩，但不能有中國的三百零五首古代抒情詩，怎麼選擇呢？我寧可要那三百零五首《詩經》抒情詩。我是老牌個人主義者，我不是愛國主義者，所以我愛《詩經》之詩。任何各國古典抒情詩都不及《詩經》，可惜外文無法翻譯。

《詩經》第一首詩是愛情詩。後人說顯得孔子通人性，孔子則視如夫婦之道。以下是詩：

## 〈周南．關雎〉

關關雎鳩——關關，和鳴聲。雎鳩，雎水、雎河，一在河南、一在湖北。鳩，舊說是鷲，但鷲非吉鳥，聲亦非關關。鳩，可能是斑鳩，雎水上特有的鳩。

在河之洲——河，黃河。洲，水中央的陸地。

窈窕淑女——窈窕，音腰挑（上聲），美好貌。淑，善。

君子好逑——君子，貴族男子通稱。好，相悅。逑，同仇，指配偶，相配。

參差荇菜——荇，音杏，水生植物，葉心臟形，浮水面，可食。

左右流之——流，通摎（音鳩），捋取也。

窈窕淑女

寤寐求之——醒為寤，睡為寐。寤寐，猶言日夜。

求之不得

寤寐思服——服，古讀愎，思念。「思」、「服」同義。

悠哉悠哉——悠，長。悠悠，綿綿不斷。
輾轉反側——輾轉，同義。反，覆身臥。側，側身臥。

參差荇菜
左右采之——采，音契。
窈窕淑女
琴瑟友之——友，親也，讀以音。你「琴」我「瑟」，求友之意。

參差荇菜
左右芼之——芼，音冒，是覒的借字。芼之，就是采之。
窈窕淑女
鐘鼓樂之——鐘鼓，成婚也。樂，娛悅，討好。

**〈鄭風・將仲子〉**

將仲子兮——將，請。仲子是表字。

無逾我里——逾，同越。里，居也，五家為鄰，五鄰為里，里外有牆。越過里牆。
無折我樹杞——樹杞，即杞樹。
豈敢愛之——愛，吝惜。之，指林杞。
畏我父母——母，古音米。
仲可懷也
父母之言
亦可畏也

將仲子兮
無逾我牆
無折我樹桑
豈敢愛之
畏我諸兄——兄，音鄉。
仲可懷也
諸兄之言

亦可畏也

將仲子兮
無逾我園——種果木菜蔬的地方有圍牆者為園。
無折我樹檀——檀，樹名，檀香產印度、廣東、雲南。
豈敢愛之
畏人之多言
仲可懷也
人之多言
亦可畏也

多可愛的意思。此詩寫女性心理，好極，委婉之極。其實很愛小二哥，怕家人說話。她最要講的是「仲可懷也」，卻講了那麼多，不拘四言五言七言，都有，反覆三段，形式成立。中國古文「子」指男，故知此詩為女子口氣。這樣的好東西，去換大而無當的史詩，我不要。

## 〈邶風・簡兮〉

簡兮簡兮——簡，通僩，武勇之意。

方將萬舞——萬舞，大規模的舞。

日之方中

在前上處

碩人俁俁——碩，大。俁俁，音語語，高大貌。

公庭萬舞——公庭，公堂前的庭院。

有力如虎

執轡如組——轡，馬韁。組，是編織中的一排絲線。一車四馬，一馬兩韁，四馬共八韁。兩韁繫車上。

左手執籥——籥，音月，似笛而長。

右手秉翟——翟，古音濯，長尾雉雞的羽。

赫如渥赭——赫，紅面有光。渥，浸濕。赭，音者，紅土。寫舞師臉紅。

公言錫爵——公，指衛國的君主。錫，賜。爵，酒器。

山有榛——榛，栗屬。
隰有苓——隰，音習，低濕處。苓，草名。言高低、草木、陰陽，喻男女。
云誰之思
西方美人——那時的西方，指周。
彼美人兮——美人，指舞師。
西方之人兮

這首詩，妙在後來忽然「山有榛」、「隰有苓」。「云誰之思」，你在想念誰呀！

〈王風・采葛〉

彼采葛兮——葛，藤也。
一日不見
如三月兮

彼采蕭兮——蕭，蒿類，類如艾，有香氣。
一日不見
如三秋兮

彼采艾兮
一日不見
如三歲兮——由月而秋，秋而歲，意思是愈來愈想他。

中世紀所謂蒙昧，倒是保存了人的元氣。後來有文藝復興，是如釀酒，把蓋子蓋好的。後來的中國是開了蓋，風雨塵埃進酒罈，這點元氣，用完了。

〈王風・黍離〉
彼黍離離——黍，小米。離離，行列之貌（兼寫）。
彼稷之苗——稷，高粱。

行邁靡靡——邁，行遠，等於行行。靡靡，腳步較慢，無力。
中心搖搖——中心，即心中搖搖，心憂不能自主。
知我者謂我心憂
不知我者謂我何求
悠悠蒼天——悠悠，遙遙。
此何人哉——人，讀仁（人仁古道），指蒼天。

彼黍離離
彼稷之穗
行邁靡靡
中心如醉
知我者謂我心憂
不知我者謂我何求
悠悠蒼天
此何人哉

彼黍離離
彼稷之實
行邁靡靡
中心如噎——噎，氣逆不能呼吸。
知我者謂我心憂
不知我者謂我何求
悠悠蒼天
此何人哉

舊說周人東遷後，有大夫行役到故都，見宗廟宮室平為田地，遍種黍稷，彷徨感歎。總之是一個流浪人的悲歎，應由舒伯特譜曲。

〈衛風・氓〉（氓，民，男子）

氓之蚩蚩——嗤嗤，戲笑貌。

抱布貿絲——以物易物。

匪來貿絲——匪，非。

來即我謀——即，就。找我商量。

送子涉淇——淇，水名。

至於頓丘——頓丘，地名。丘，古讀欺。

匪我愆期——愆期，過期。

子無良媒

將子無怒——將，請，願。請別發怒呀。

秋以為期——到了秋天再決定。

乘彼垝垣——垝，音詭。垣，城牆。乘，連下句：到時候我會到城牆上，等你回到原來的關卡。

以望復關——關，關卡，一說復是關名，又一說復關是氓的名字。

不見復關

泣涕漣漣

既見復關
載笑載言
爾卜爾筮——燒灼龜甲，察裂紋判吉凶，叫卜。用蓍草占卦，叫筮。
體無咎言——體，龜兆，兆卦，即卜筮的結果。無咎言，無凶辭。
以爾車來
以我賄遷——賄，財物，指妝奩。

桑之未落
其葉沃若——沃若，沃然，潤澤。
于嗟鳩兮
無食桑葚——鳩貪吃桑葚，則醉。別吃太多桑果。
于嗟女兮——想到我自己。
無與士耽——耽，貪愛太甚。別為這男子糊塗。
士之耽兮
猶可說也——說，脱，擺脱。

女之耽兮
不可說也

桑之落矣
其黃而隕——隕，讀損，黃貌。
自我徂爾——徂，往。自從我來此。
三歲食貧——過了三年苦日子。
淇水湯湯——湯湯，水大，音商商。你還要趕我到淇水那邊。連下句，弄濕我的衣裳。
漸車帷裳——漸，浸濕。帷，音惟，布幔。被棄逐後渡淇水而歸。
女也不爽——爽，差錯。我作為女子，沒有錯。
士貳其行——貳，為（忒）之誤，即忒，與爽同。你倒是錯了。
士也罔極——罔，無常。男子做事沒定準，沒長性。
二三其德——言行前後不一，忽此忽彼。
三歲為婦——為婦三年。

靡室勞矣——家務一身擔負，每天如此忙碌。
夙興夜寐——興，起，起早摸黑。
靡有朝矣——朝朝如此，不能計算。
言既遂矣——言，無意義，口氣，既遂，是既過得順心。
至于暴矣——待我愈來愈兇。
兄弟不知
咥其笑矣——咥，音戲。
靜言思之
躬自悼矣

及爾偕老——當初說定與你過到老。
老使我怨——這樣到老真是冤枉。
淇則有岸——淇水雖寬總有岸。
隰則有泮——渭河雖闊總有邊。
總角之宴——男女未成年，髮作兩角。宴，樂也。

言笑晏晏——晏晏，溫和。

信誓旦旦——旦旦，明明白白，誠懇的樣子。

不思其反——反，即返。

反是不思——為了韻腳，取重複為反是不思。

亦已焉哉——看開算了吧。哉，古讀茲。

## 〈邶風．擊鼓〉

擊鼓其鏜——鏜，音湯。講兵怨。

踴躍用兵——踴躍，練武的動作。兵，武器。

土國城漕——土國，即國土。城漕，在漕邑築城。漕邑，今河南滑縣東南。

我獨南行——南行，出兵陳、宋。願就築城勞役，不願南征。怨氣：我去南方出征。

從孫子仲——孫子仲，衛國世卿，南征統師。

平陳與宋——陳國，今河南淮陽。宋國，今河南商丘縣南。出征平陳國與宋國。

不我以歸——不許我回國留守（有部分留戍）。

憂心有忡——忡，音充。有忡，忡忡，心不寧。

爰居爰處——爰，音袁，乃也。於是，不知住哪裡。

爰喪其馬——不知將在何處打仗，而馬也死掉。

于以求之——將來到哪裡能夠找尋我？

于林之下——無非是山林之下找到我和馬的屍體。

死生契闊——契，合也。闊，疏遠之意。偏義複詞，恩仇，貶褒。生死結合。

與子成說——成說，成言，說定了。回想出征前與妻的感情深篤。

執子之手——子，作者指其妻。

與子偕老——白頭到老。

于嗟闊兮——再也見不到你了。

不我活兮——活，音括，曾也。

于嗟洵兮——洵，敻，久遠也。

不我信兮——我要做也做不了。

第11講

# 《詩經》續談

風　雅　頌〈柏舟〉〈風雨〉〈七月〉

1989.8.27

把《詩經》不當做作品，而當做倫理、道德、教條、格言，始自漢朝，將其文學價值、文學光輝湮沒了。

孔子說，《詩經》「哀而不傷，樂而不淫」，懂得分寸。我以為還是從他主觀的倫理要求評價《詩經》。比起後世一代代腐儒，孔子當時聰明多了，深知「不學詩，無以言」。

從《詩經》裡，我們可以看到二千五百多年前的政治、社會、文化、愛情、友情、樂器、兵器、容器等等。

## 《詩經》的來源及文學美

《詩經》的來源，眾說紛紜。大家猜，多不服。我來簡繹淺說。《詩經》，是二千五百年前（共三百零五首）的北方民間詩歌。當時南方沒有文化，稱南蠻。

把《詩經》不當做作品，而當做倫理、道德、教條、格言，始自漢朝，將其文學價值、文學光輝湮沒了。

東方朔、竹林七賢、建安七子，都有明顯的《詩經》影響。陶淵明，直接受《詩經》影響。這些人將《詩經》的精神、技巧繼承了，發揚了，但是儒家使《詩經》沒落。

《詩經》的編定者，相傳是孔子，功最大。存疑。他對《詩經》有評價：「詩三百，一言以蔽之，曰：思無邪。」

不得不佩服他高明，概括力之高。

他說，《詩經》「哀而不傷，樂而不淫」，懂得分寸。我以為還是從他主觀的倫理要求評價《詩經》。比起後世一代代腐儒，孔子當時聰明多了，深知「不學詩，無以言」（即哲學思想要有文學形式），意思是：不學《詩經》，不會講話。他懂得文采的重要。

哲學家、史家，必得兼文學家，否則無文采。孔丘是倫理學家，但他有文采。他從實用。他說：

小子，何莫學乎詩？詩可以興，可以觀，可以群，可以怨。

我們今天看《詩經》，應該看《詩經》純粹的文學性、文學美。

《詩經》共分三部分：風、雅、頌。雅有大雅、小雅之分。

風，以音樂名稱用到文學，用今天的話說，是曲式、聲調，如當時有秦風、魏風，俗解山西調、甘肅調。當時有十五國（均在北方），在陝西、山西、河南、河北、山東一帶。所謂「國風」，就是十五國的調調不同。

雅，現在是形容詞，當時是名詞，意為「正」。當時的普通話、官話，稱

「雅言」。「雅」，也即「夏」的意思。「華夏」，分大雅、小雅。學術界至今定不了案。我以為從新舊而分出大小雅：大雅，舊詩；小雅，新詩。大雅的作品，多產於西周；小雅，也產於西周，但有部分東周。

頌，有說「容」，模樣之意。有說指讀與唱的速度和節奏。

《詩經》大部分是民間歌謠，小部分是詩人作品，更小部分是貴族的作品。

古說「木鐸有心」，我的名字就是這裡來。

《公羊傳》說，男六十歲、女五十歲，無子嗣，官方令其去鄉間採集詩，鄉到城，城到縣，縣到國，向朝廷奏詩。

那時，國與國外交也以詩和音樂交往、贈送。藝術的傳播。風雅頌，不必分。分不清，勉強無聊之分。

司馬遷《史記》說，古詩有三千多篇，孔丘刪時，二或三種相似重複者存一，合道德禮儀的詩才選。又有一說，說孔丘並未刪詩，好詩自會流傳。我懷疑。一定要形諸文字，才能流傳。如果當時沒有人編選，《詩經》到漢代就所剩無幾了。

人類的發展，藝術的保存，實在岌岌可危、結結巴巴（滬語）。

從《詩經》裡，我們可以看到二千五百多年前的政治、社會、文化、愛情、友情、樂器、兵器、容器等等。三百零五篇，植物，草本七十種、木本三十種，獸三十種，鳥三十種，魚十種，蟲二十種……可見當時的中國人對自然已知定名。

〈鄘風．柏舟〉

泛彼柏舟——柏船在河中漂蕩。

在彼中河——中河，即河中。

髧彼兩髦——髧，音淡。髮下垂，男未冠披髮，長齊眉，分兩邊梳，曰髦。

實維我儀——實在是我最喜歡的樣子（指配偶）。

之死矢靡它——之，至也，到也。矢，誓也。靡它，無它心，到死無二心。

母也天只——只，語助詞。天，古音吞，傳謂父也。母呀，天呀，意思是父母不瞭解我。

不諒人只——諒，諒解，體察。

泛彼柏舟
在彼河側
髧彼兩髦
實維我特——特，匹偶。
之死矢靡慝——靡慝，到死也不變。
母也天只
不諒人只

〈鄭風·風雨〉

風雨淒淒——淒淒，寒涼。
雞鳴喈喈——喈，音皆，雞鳴（饑）。
既見君子——君子，女對愛者稱。
云胡不夷——云是發語詞。胡，何也。夷，平地也。我心怎能平靜？
風雨瀟瀟——瀟，音消，急驟。

雞鳴膠膠——膠，或作嘐，音交。

既見君子——見到了你。

云胡不瘳——瘳，讀抽。瘳，病癒。見了你，還有什麼病呢？

風雨如晦——晦，音會，如夜。

雞鳴不已——已，止。

既見君子

云胡不喜——見了你，怎不歡喜？

## 〈豳風・七月〉

七月流火——火，古讀毀。流火，星名，夏曆五月，此星當正南方，六月過後就偏西，故稱流。

九月授衣——九月絲麻諸事結束，將裁制各衣，交付女工。

一之日觱發——十月以後的第一日。觱，音必，大風觸物聲。

二之日栗烈——栗烈，或作凓冽，氣寒。

無衣無褐——褐，粗布衣。

何以卒歲

三之日于耜——于，為也。耜音似，耕田起土之具。于耜，修理耒（音磊）耜。

四之日舉趾——趾，足也。舉趾，下田。

同我婦子——與妻兒。

饁彼南畝——饁，音夜，饋送食物，送飯給耕者。

田畯至喜——畯，音俊。田畯，農官，田正，田大夫。

七月流火

九月授衣

春日載陽——載，始。陽，溫暖。

有鳴倉庚——倉庚，黃鶯。

女執懿筐——懿筐，深筐。

遵彼微行——微行，桑間小徑。

爰求柔桑——爰，語助詞，猶曰。柔桑，初生桑葉。

春日遲遲——遲遲，日長。
采蘩祁祁——蘩，菊科植物，煎水用以澆蠶子，蠶易出。祁祁，眾多。
女心傷悲
殆及公子同歸——怕被公子強帶回去，一說怕被女公子帶回去陪嫁。殆，逮，危也，迫也，似也，或然疑也，怠也。

七月流火
八月萑葦——萑，音環，蘆類，八月長成，可作箔（蘆簾）。
蠶月條桑——蠶月，三月。條桑，修剪養蠶桑樹。
取彼斧斨——斨，音槍，方斧曰斨。
以伐遠揚——遠揚，太長的高揚的枝條，要砍掉。
猗彼女桑——猗，牽引。女桑，小桑。拉枝採葉。
七月鳴鵙——鵙，音局，鳥名，即伯勞。
八月載績——績，讀織。
載玄載黃——玄，黑中含紅。玄、黃，指絲麻績品的染色。

我朱孔陽——朱，赫色。陽，鮮明。

為公子裳——我們還有明亮的紅色，為公子做衣裳。衣，上身。裳，下身。

四月秀葽——葽，音腰，植物。秀，古語，成了，結子了。

五月鳴蜩——蜩，音條，蟬也。

八月其穫——八月收穫。

十月隕蘀——隕蘀，落葉。蘀，音拓，草葉落地。

一之日于貉——貉，取狐狸皮。十月一日打田獵。

取彼狐狸——打到了狐狸。

為公子裘——為公子做大衣。

二之日其同——臘月大夥兒聚會，稱其同。

載纘武功——纘，繼續。武功，田獵。

言私其豵——豵，音宗，一歲小豬。此處指一般小獸歸獵者私有。

獻豜於公——豜，音堅，三歲小豬。此處代表大獸，獻給公家。

五月斯螽動股——螽，音終。斯螽，蝗類，舊傳兩股相切發聲。

六月莎雞振羽——莎，音蓑。莎雞，紡織娘。

七月在野——以下四句，都在寫蟋蟀。

八月在宇——宇，簷下。

九月在戶

十月蟋蟀

入我床下

穹窒熏鼠——穹，通空。窒，塞滿。

塞向墐戶——向，朝北的窗子。墐，以泥塗上。

嗟我婦子——以下三句，即過年啦，好好進屋弄弄。

曰為改歲——曰，亦作聿，語助詞。改歲，舊年將盡，新年將至。

入此室處——且來養好房裡，安住，像蟋蟀那樣。

六月食鬱及薁——鬱，唐棣類，實似李，紅色，山楂。薁，音玉，實如精圓櫻桃。

七月亨葵及菽——亨，通烹。菽，豆的總稱。

八月剝棗——剝，音撲，擊也。
十月穫稻——穫，專指收稻。
為此春酒——冬釀春成，故名春酒。棗和稻是釀料。
以介眉壽——介，助詞。眉壽，豪眉也，眉生豪，叫秀眉。眉壽，指老人。酒，老人先喝。
七月食瓜
八月斷壺——壺，瓠也，葫蘆。摘葫蘆。
九月叔苴——叔，拾也。苴，音咀，秋麻子，可食。
采荼薪樗——荼，苦菜。樗，音攄。采荼，打柴。
食我農夫——這是我們的食物。

九月築場圃——場，打穀場，圃是菜圃。春夏做菜圃，秋冬做打穀場。
十月納禾稼——納，收進。稼，古讀故。禾稼，穀類通稱。
黍稷重穋——黍，音暑。稷，音既。重，音童。穋，音六。早穀晚穀，黃米，高粱。
禾麻菽麥——禾，這裡專指小米。
嗟我農夫——像我們農民啊。

我稼即同——稼，音嫁。地裡莊稼才收起。
上入執宮功——功，事也。宮功，建築宮室。
晝爾于茅——白天割茅草。
宵爾索綯——綯，繩也。夜裡要搓繩索。
亟其乘屋——亟，急也。乘屋，差屋。宮功完後，趕緊要修屋子。
其始播百穀——又要撒種了。

二之日鑿冰沖沖——十二月打冰，沖沖，古讀沉沉。
三之日納于淩陰——三之日，指正月。凌是冰塊，陰是冰窖。
四之日其蚤——四指二月。蚤，取也。
獻羔祭韭——用羔羊和韭菜祭祀。
九月肅霜——肅霜即肅爽，雙聲語，天高氣爽。
十月滌場——清掃場地。一說滌蕩，草木搖落。
朋酒斯饗——朋酒，兩樽酒。
曰殺羔羊——大家說殺羔羊。

躋彼公堂——躋，登。公堂指公共場合，不一定是朝堂。

稱彼兕觥——稱，舉也。兕音似。觥，獨角野牛，其角作酒器，名兕觥。觥，音功。

萬壽無疆——萬，大也。無疆，無窮。

第12講

# 《楚辭》與屈原

**古典意識流　〈離騷〉　宋玉　〈九歌〉〔少司命〕〔山鬼〕**

1989.9.10

《楚辭》，很幸運未被孔子修改過、歪曲過，沒弄成道德教訓。漢朝、三國、魏朝，皆受《楚辭》影響，直到清末文學家、魯迅，都受《楚辭》影響。

唐詩是琳琅滿目的文字，屈原全篇是一種心情的起伏，充滿辭藻，卻總在起伏流動，一種飛翔的感覺。用的手法，其實是古典意識流，時空交錯。

〔少司命〕、〔山鬼〕是中國古典文學頂峰之作，是貴族的。貴族，不是指財富，指精神。神、鬼，都是人性的昇華，比希臘神話更優雅，更安靜，極端唯美主義。

## 《楚辭》的精華

《詩經》明明是文學抒情作品，卻被後世的傳道家、辯士、政客，弄成教條，「子曰」、「詩云」，已成為中國儒家知識分子的共識，直到宋、明、清，還在「子曰」、「詩云」。

他們不惜抹殺《詩經》的文學價值，甚至不把《詩經》編入詩史。漢樂府，詩之文學形式，繼承發揚《詩經》精神，建安七子等均是，陶淵明更是。

這些人傑出，不為儒家見識所縛。天才能解脫一切束縛教條。我自己的作品中，也用不同方式運用《詩經》，用時，既圖不損其原味，又要推出新的境界和意思，明白告訴讀者我在用《詩經》，但又要出自己意。

孔子標榜「述而不作」。他很滑頭，他自己不創作。我年輕時刻一章，唱反調：「作而不述。」

《楚辭》，很幸運未被孔子修改過、歪曲過，沒弄成道德教訓。漢朝、三國、魏朝，皆受《楚辭》影響，直到清末文學家、魯迅，都受《楚辭》影響。

後來的賦，直接導源於《楚辭》。

周氏兄弟古文根柢好，卻不願正面接續傳統，老作打油詩。

我也受《楚辭》影響。〈哥倫比亞的倒影〉、〈九月初九〉，都是賦。佯裝賦〈夏夜的婚禮〉，用〈九歌〉方式寫，若人點破，乃搔到癢處。我愛被人拆穿西洋鏡，拆穿了，西洋鏡才有意思，不拆穿，沒意思。

貧窮是一種浪漫——我買不起唐人街東方書局大量關於屈原的書，就攜帶小紙條去抄錄——上海火車站外小姑娘刷牙，是貧窮，浪漫。

《詩經》選的是北方的詩歌。《楚辭》選的是南方的詩歌。

「楚辭」，不是當時的人叫的，是後人定的，起於漢朝末年。富家人唐勒作賦四篇，宋玉作賦四篇。《史記》提到「屈原既死之後，楚有宋玉、唐勒、景差之徒者，皆好辭而以賦見稱」。

楚，辭，兩字分開。楚，地方；辭，文學作品。

某地某人善寫楚辭之說，起於漢初。戰國時，楚是七雄之一，今湘鄂皖一帶，即楚地。流傳的《楚辭》，十七篇，十篇是原作，另七篇是漢朝人的模擬之作。

正宗《楚辭》——〈離騷〉、〈九歌〉、〈天問〉、〈九章〉、〈遠遊〉、〈卜居〉、〈漁父〉、〈九辯〉、〈招魂〉、〈大招〉。

其中，〈離騷〉、〈九歌〉為最好，讀這兩篇，《楚辭》的精華就取到了。〈九歌〉裡也只有兩首歌最好，得全曲精華。

政治、生活、愛情都成功，可以是偉大的文學家，譬如歌德。政治、生活、愛情都失敗，更可以是偉大的文學家，譬如但丁、屈原。

藝術家莫不如此。

人生中，庸俗之輩包圍，很難成功。愛情最難。親家成仇家，因為瞭解，罵起來特別兇。如果你聰明，要準備在政治、人生、愛情上失敗，而在藝術上成功。

我愛兵法，完全沒有用武之地。人生，我家破人亡，斷子絕孫。愛情上，柳暗花明，卻無一村。說來說去，全靠藝術活下來。

幸也罷，不幸也罷，創作也罷，不創作也罷，只要通文學，不失為一成功。

清通之後，可以說萬事萬物——藝術家圓通之後，非常通。

畫畫，人愈傻愈好。

文學唯一可以和音樂、繪畫爭高下，是文學可以抓到癢處。繪畫強迫人接受畫家個人的意象，文學給人想像的餘地。

中國詩人，要說偉大，屈原最偉大。

他在殘暴、骯髒、卑鄙的政治環境中，竟提出這樣一首高潔優雅的長詩。他的〈離騷〉，能和西方交響樂——華格納、布拉姆斯（Johannes Brahms）、西貝流士（Jean Sibelius）、法朗克（Cesar Franck）——媲美。

《楚辭》，起於屈原，絕於屈原。

宋玉華美，枚乘雄辯滔滔，都不能及於屈原。唐詩是琳琅滿目的文字，屈原全篇是一種心情的起伏，充滿辭藻，卻總在起伏流動，一種飛翔的感覺。用的手法，其實是古典意識流，時空交錯。

他守得住藝術、非藝術的界限。

詩是永恆的。屈原又要藉此吐出一口政治上的怨氣，故不能直寫。而杜思妥也夫斯基能把非文學的東西提升為文學，他和托爾斯泰寫當時，但可以永久。他們知道，當時的什麼，可以寫進文學。

這界限有大綱、有細節，都要把握緊，扣牢，不差錯。

李白、杜甫，有時也會越界。魯迅也有許多越界，但畢竟天才，在暴政苦難中不予直罵直斥，寫一首詩，哭中華，哭烈士，但托之於藝術。

參加遊行時，是自我縮小成群眾裡的一個點。

屈原遭遇不幸，被誣告，卻出〈九歌〉，就是給人看看他的身分、態度。他分得清政治、生命、詩歌的分界。

## 屈原，最偉大的中國詩人

屈原（約公元前三四〇—前二七八），名平，貴族，是皇族的子孫。皇賜名靈均，官號三閭大夫，主管皇族子孫家務事。最初做楚懷王的左徒，是諫官。中國古代向來設諫官。

博聞強記，治國手腕高。善談論，善辭令。內政上，與楚懷王商量國家大事，對外接待各國諸賓，等於是皇帝最重要的親信。楚懷王要立憲令，由屈原起草，大臣上官靳尚妒忌屈原久，設法偷屈原憲令草稿。當時稿未定，不示。靳尚搶而不得，乃在王前說壞話，說得又通俗又高明。說，他每寫一條，就說「除我之外，誰寫得出？」王不悅，疏遠屈原。屈原恨靳尚讒言，又恨王糊塗，遂寫〈離騷〉。

今天可以說，〈離騷〉是我國最古早的「傷痕文學」。

他的文體，靠打比喻：香草美人，氣度雍雍。

〈離騷〉三百七十多句，包羅萬象。屈原自沉汨羅江，是公元前二七八年。據說是五月初五，地處湖南岳陽縣。司馬遷曾到汨羅江追悼屈原。他最同情屈原，寫到時，大動力氣，將屈原放在「列傳」中，列傳者可說是「皇家」的人。

漁父勸屈原隨波逐流。我們如今用的都是漁父哲學，又是老莊哲學。

人各有志。屈原詩，乃作品。他的死，也是作品，是一種自我完成。剛才說政治、人生、愛情難成功，都因為不得自己做主。藝術上的成功，乃可以自主。屈原寫詩，一定知道他已永垂不朽。

每個大藝術家生前都公正地衡量過自己。有人熬不住，說出來，如但丁、普希金。有種人不說的，如陶淵明，熬住不說。

宋玉，一說是屈原學生，一說不是。做〈九辯〉、〈招魂〉，還有許多賦。古代的美男子，以潘安、宋玉做代表。宋玉，生於公元前約二九八年，卒於公元前二二二年。

〈九歌〉，是楚國民間的宗教古歌。屈原改時，不動原來的體裁風格，不著痕跡把自己放進去，流露得很自然。

如今遠遠去看屈原，他像個神，不像個人，神仙、精靈一般。實際政治，他都清楚。他能昇華，他精明，能成詩，他高瞻遠矚。

藝術家可以寫實，可以寫虛，最好以自己的氣質而選擇。

我對〈九歌〉有偏愛。〈九歌〉的每一篇都好：〔東皇太一〕（天，最高的神）、〔雲中君〕（雲神）、〔湘君〕（湘水男神）、〔湘夫人〕（湘水女神）、〔大司命〕（主司壽命）、〔少司命〕（年輕命運神）、〔東君〕（太陽神）、〔河伯〕（河神）、〔山鬼〕（精靈）、〔國殤〕、〔禮魂〕。

〈九章〉：〔惜誦〕、〔涉江〕、〔哀郢〕、〔抽思〕、〔思美人〕、〔惜往日〕、〔橘頌〕、〔悲回風〕、〔懷沙〕。

〈少司命〉、〈山鬼〉兩篇最好，是中國古典文學頂峰之作，是貴族的。貴族，不是指財富，指精神，神、鬼，都是人性的昇華。比希臘神話更優雅，更安靜，極端唯美主義。

〈少司命〉有如行書，〈山鬼〉有如狂草。其餘篇幅，如正楷。

〈九歌〉超人間，又籠罩人間。

文學要拉硬弓，不要拉軟弓。所謂拉硬弓，要獨自暗中拉，勿使人看見。

《詩經》、《楚辭》，是中國文學的兩張硬弓。

你只有找到精華中的精華，那整個精華就是你的。如果辨不出精華中之精華，那整個精華你都不懂。

這是方法論。精華多，莫如找精華中的精華。

文學藝術，創作難，欣賞更難。不是創作在前，欣賞在後。不。欣賞在前，創作在後。

一輩子拉硬弓。

〔山鬼〕，陰森森的繁華。

都是七言。已是唐人七律七絕的前聲。

中國人是一上來就受了苦，吃了虧。然後因為苦，出了文學、詩歌、哲學、倫理。

第13講

# 中國古代的歷史學家

鄭伯克段于鄢　春秋筆法　左丘明《戰國策》《史記》司馬遷

1989.9.24

古歷史學家文章寫得之好，功力奇妙！老子精練奧妙，莊子汪洋恣肆，孟子莊嚴雄辯，墨子質樸生動（若以墨子治國，中國早已是強國），韓非子犀利明暢，荀子嚴密透闢，孔子圓融周到——孔子調皮、滑頭，話從不説死。

《戰國策》上繼春秋，下至楚漢，記當時謀士的策略和言論，資料豐富，文筆大刀闊斧，有莎士比亞之風。

當司馬遷寫出人物、忘掉儒家時，是他最精彩的部分。寫屈原，以儒家精神寫，不佳；寫到「鴻門宴」人物，忘了儒家，大好！

《詩經》被政治家、儒家弄成尊嚴和工具，以孔子為正式開端，以此教訓人。我覺得當時《詩經》沒有這個意思。連戰國縱橫家也以《詩經》教訓人，甚至包括教訓王侯。一切知識分子只能從《詩經》中汲取教條，不敢承認這是文學。後人都不敢將《詩經》編入文選。我自小不認為《詩經》是道德教訓。

可見儒家在中國勢力之大，成了集體潛意識。毛澤東、劉少奇，都用儒家的辦法。

儒家是最重功利的，對待《詩經》，偽善、霸道。

漢樂府，偷偷繼承發揚《詩經》。竹林七賢、建安七子、陶淵明，這些傑出的人才不被教條嚇倒，仍把《詩經》作為文學看待。凡夫俗子，就認《詩經》為經典。

豪傑到底是豪傑，天才畢竟是天才。

在座諸位有空多讀點中國史家、哲學家典籍，千萬別想到什麼要繼承發揚，那樣，你就有希望繼承和發揚了。吳昌碩刻章，人稱直追漢印。古典文學也要如此，再遠，一拉就拉過來。畢卡索（Pablo Picasso）要古典，將希臘一拉就拉過來。

中國的純文學，是《詩經》、是《楚辭》。

## 中國古代歷史，一上來就是文學

歷史學家的，除了司馬遷《史記》，還有《後漢書》，還有《左傳》、《戰國策》，還有《國語》。《左傳》、《國語》、《戰國策》，後來才是《史記》。

孔子的《春秋》也是。稍後再說。

上述，為歷史學家。《古文觀止》的上本，就是從《左傳》、《國語》、《戰國策》等裡面來的。所以，中國古代歷史，一上來就是文學，已經寫得極其完美。我想鑽空子，沒法鑽，寫得太好。

《左傳》、《國語》、《戰國策》的文學成就絕不下於《史記》，更高古奇拔。司馬遷會寫實，像是畫油畫。

古代之所以有這光榮現象，因為文學家、史家、哲學家都是貫通的。現代知識分工大勢所趨，一分工，智慧分開。

古代文化的總和性現象，一定出華而又實的大人物。現代分工，是投機取巧。現代的新趨向，還是要求知識的統合。

希望將來知識統合成功，人類又開始新公元。

古歷史學家文章寫得之好，功力奇妙！老子、莊子、孔子、孟子、荀子、墨子、韓非子，莫不如此。

老子精練奧妙，莊子汪洋恣肆，孟子莊嚴雄辯，墨子質樸生動（若以墨子治國，中國早已是強國），韓非子犀利明暢，荀子嚴密透闢，孔子圓融周到——孔子調皮、滑頭，話從不說死。

他們的用字，用比喻，都成專利，別人冒充不得。

這是文學遺產（狹義），是文化遺產（廣義）。養育了中國二千多年的文化，直到二千多年後的「五四」的健將，魯迅、周作人、郭沫若等。

近代，沒有了，斷了漢文化的血脈。

一個巨大的斷層。幾乎沒有一個當代文學家文中能夠看到這些古代的影響，好像現代的中國人不是古代的中國人的子孫。「文化大革命」後，全斷盡了。

大悲哀。漢文化消滅了。國窮民窮，或可轉富，精神文化一失，再也回不來。

我結結巴巴還是想要繼承漢文化、古文化。繪畫也一樣，可以直追秦漢。文化遺產的繼承，最佳法，是任其自然，不可自覺繼承。一自覺，就模仿、搬弄，反而敗壞家風。近代人筆下沒有古人光彩，最最自然地浸淫其中，自然有成。道理和老子的「無為而無不為」一樣，繼承也無為繼承。

## 孔子「春秋筆法」

中國最古的古書，不是《左傳》，也不是《國語》或《戰國策》，乃是《尚書》。《中國文學史》的編著者把《尚書》列入，我認為不對。編著者著眼於「淵源」，而忘了編的是「文學史」。《尚書》可不是文學著作，是歷史資料、檔案（如皇帝的報告、打仗的宣言），是古代文誥誓語的彙編。文筆簡練，內容繁瑣，總之不是文學。如果你們以後碰到學問家，談及《尚書》，你們就把責任推在我身上好了，說：「因為木心先生講世界文學史時，把《尚書》排除在外，所以我沒有研究過《尚書》。」

所以，今天不談《尚書》。

《尚書》之後，還有一部史書：《春秋》。作者不一定是孔子。《春秋》，也不能算是文學作品。但補充一下，其文筆簡練到極點。例：

鄭伯克段于鄢。（《春秋》魯隱公元年）

史實呢，是鄭國之君，有弟名共叔段，謀反，兄打敗了弟——《春秋》作者認為鄭國之君沒有把弟弟教育好，失了做哥哥的責任，所以故意點明他不配做哥哥，降稱之為鄭伯。而共叔段呢，要搶王位，有虧弟弟敬事兄長的本分，故不配稱弟，只叫他段。兩者之鬥爭，情況類如兩個國君交戰，故名為克——這樣，譏笑了哥哥，責備了弟弟，而且批評他們自己的家事弄到像兩國交戰。這種高度的簡括，態度、立場、觀點的毫不假借，就叫做「春秋筆法」。

王安石批評《春秋》為「斷爛朝報」，我還是肯定《春秋》的文學價值。《左傳》、《公羊傳》等，都以《春秋》為師。所以雖然不是文學作品，但卻屬文學的源流。

左丘明著《左傳》。盲者，生平不可考。從前的人真是大派，不寫回憶錄。這是大自然的作風。只留作品，不留作者。他是第一個以文學水平寫史書的人。

《國語》作者誰？也不可考。有說仍是左丘明寫，有說《左傳》以年代先後分，《國語》以國家分代，故不是左丘明所寫。我以為以左丘明之才，完全可以一變，以國分代，有可能是他寫的。

《戰國策》（也稱《國策》）上繼春秋，下至楚漢，記當時謀士的策略和言論，資料豐富，文筆大刀闊斧，有莎士比亞之風。作者不可考，一說為多人所作。可能。

例：蘇秦張儀，蘇善辯……。

《公羊傳》、《穀梁傳》。戰國四君子，孟嘗君、春申君、平原君、信陵君，各人有三千食客，真是豪華世紀。西方沒有這樣的派頭養食客。

# 司馬遷，「以不死殉道」的偉大先驅

可考的作者，司馬遷。他是「以不死殉道」的偉大先驅。他為李陵說項，遭宮刑，成《史記》。他是真的強者。

大家恐怕有個錯覺，以為當時的史家執有貶褒生殺之權，名高位尊——所謂「孔子作《春秋》，亂臣賊子懼」——其實古時候的史官，地位極低，與算命、相士、戲子、歌伎同等級，不賜爵、不封功。中國專制帝王向來蔑視知識分子，可是中國少數幾位最高的知識分子，非常看得起自己。

孔子自封聖人，似乎早就知道後世會給他塑像，屈原也明白但丁可以和他排排坐。司馬遷《史記》自序，直截了當「表態」——我真為他捏一把冷汗——他說：

> 先人有言：『自周公卒五百歲而有孔子，孔子卒後至于今五百歲，有能紹明世，正《易傳》，繼《春秋》，本《詩》《書》《禮》《樂》之際？』意在

斯乎！意在斯乎！小子何敢讓焉。

簡直大聲疾呼，可愛透頂，難得難得！這等氣派才叫是真正的「難得糊塗」啊！我推想，司馬遷是《史記》全部定稿才寫下這篇中氣十足的序言。

中國文化是陰性的，以陰柔達到陽剛——西方是直截了當的陽剛（耶和華、邱比特、宙斯，是西方至高的神，中國人的始祖和保護神，則是女媧、王母娘娘、媽祖、觀世音菩薩）——這樣子看看，司馬遷是古人中最陽剛的，給中國文化史揚眉吐氣。

這裡不妨稍許談談中國歷代大人物的自我期許，自我評價——現代話叫做「自我推銷」，古話叫做「言志」——統體看，我以為魏晉人士言志最好，好在狂而得體，本身確有那點分量，不肉麻，而能詩意洋溢。

陶淵明，平淡到不在乎說。他非常明白他的詩同代沒有讀者，倒也心地放寬了。

回頭看孔丘。孔丘多重人格，表面一套，心裡一套，標榜「君子泰而不驕」，卻又熬不住，說出來：

（周文王，姓姬，名昌，為周武王父。殷紂時為西伯，受讒，囚於羑里，其臣散宜生救之。周公，姬旦，武王之弟，成王之叔，成王幼，周公攝政。）

文王既沒，文不在茲乎？天之將喪斯文也，後死者不得與于斯文也。天之未喪斯文也，匡人其如予何！

明明指說周文王以後就是他孔丘了。

孟子更是擺明了直講：「夫天未欲平治天下也，如欲平治天下，當今之世，舍我其誰？」

再來看看後世文學家如何一個個誇海口。

南朝謝靈運：「天下才共一石，曹子建獨得八斗，我得一斗，自古及今共用一斗。」

李白：「梁陳以來，豔薄斯極，沈休文又尚以聲律，將復古道，非我而誰歟？」

杜甫：「七齡思即壯，開口詠鳳凰。」

歐陽修說：「吾詩〈廬山高〉，今人莫能為，唯李太白能之。〈明妃曲〉後篇，太白不能為，唯杜子美能之。至於前篇，則子美亦不能為，唯吾能之也。」

你們看，就是這樣子！可是從儒家到文學家，再到宋代的理學家，愈來愈不像話了。

陸象山（九淵，與朱熹辯，宋理學有朱陸之別）說：「宇宙內事乃己分內事，己分內事乃宇宙事。」

王陽明（字伯安，弘治進士，餘姚人，世稱姚江學派）說：「人本與天地一般大，只是自小耳。」

再看司馬遷那篇序，我奇怪的是，當時竟沒人指責他狂妄（細想，有一定的，但文學性太差，到底留不下來）。

一部《史記》，總算落落大方，丈夫氣概。我從小熟讀司馬遷，讀到最近，起了怪想法：

如果司馬遷不全持孔丘立場，而用李耳的宇宙觀治史，以他的天才，《史記》這才真正偉大。但是再想想，不開心了，因為不可能——中國文化五千年、三千年，論面積和體量，不好和西方比。幾乎沒有哲學家，沒有正式的大自然科學家。諸子百家是熱心於王、霸的倫理學家、權術家，所謂修身、齊家、治國、平天下，是哲學嗎？

兵家、法家、雜家，都在權術範疇。

什麼是哲學？是思考宇宙，思考人在宇宙的位置，思考生命意義，無功利可言。忠、孝、仁、義、信，則規定人際關係。倫理學在中國，就是人際關係學，純粹著眼功利。

尼采懷疑此前的所有哲學，後世哲學家無人不在尼采的光照中。中國可悲，出不了尼采，也接受不了尼采。以司馬遷的人格、才華，最有條件接受尼采。但他不會拋開儒家。

或曰，時代相距太遠，司馬遷不可與尼采並論。是的。可是司馬遷讀過老子，為何不認同、不發揮？如果他能拋開孔丘，足可接受老莊——老莊和尼采通。

魏晉高士倒是和尼采通，因為魏晉人通老莊，行為風格易與西方近代精神通。再一例：魯迅早年受尼采啟示，他的才華品格也合乎尼采，後來半途而廢，晚年魯迅，尼采的影響完全消失。

為什麼？儒家思想勢力太大。

司馬遷不接受老子，魯迅放棄尼采。司馬遷的最高價值是安邦治國，他們不會認同：修身、齊家、治國、平天下，是小事，不是大事。

無論什麼人物都得有個基本的哲學態度，一個以宇宙為對象的思考基礎。以此視所有古往今來的大人物，概莫能外。非自宇宙觀開始、以宇宙觀結束的大人物，我還沒見過。否則，都是小人物。

讀《史記》，當司馬遷寫出人物、忘掉儒家時，是他最精彩的部分。寫屈原，以儒家精神寫，不佳；寫到「鴻門宴」人物，忘了儒家，大好！

古時候不寫商人、不寫流氓，司馬遷才氣大，膽魄大，皆入文章，寫得出了神，忘了儒家的訓誡。以下是我以為司馬遷最精彩的篇章：〈項羽本紀〉、〈管晏列傳〉、〈廉頗藺相如列傳〉、〈刺客列傳〉、〈李將軍傳〉。

第14講

# 先秦諸子：老子

《道德經》 無為　天地不仁　民不畏死，奈何以死畏之

1989.10.8

後世奉《道德經》為道家的聖典、兵家的韜略、法家的理論。我把《道德經》看作什麼呢？是老子的絕命書，也是老子的情書。

具有永恆性、世界性的中國哲學家，恐怕不多，大概一個半到兩個。老子一個，莊子半個。

老子奇特，他主張退、守、弱、柔，這在全世界的思想領域中，獨一無二。

二次大戰前，德國大學生讀尼采。大戰後，必讀李耳。《道德經》的英譯、法譯、德譯，版本不斷更新。李老先生就有這點魅力，世界忘不了他。

## 一個叛逆者拆穿了把戲

上次講中國古代史學家的文學性、文學成就、文學價值，這次講中國古代哲學家的文學性、文學成就、文學價值。我多次提到諸子百家的文采，以前是非正式的，現在正式談談那幾位「子」的文學典範。

公元前七七〇年至前二二一年，這五百多年，即所謂春秋戰國，局部戰爭此起彼落，政治和社會的紛亂，使人的思想異常活躍。用現在的話說，都想求真理，找到價值判斷。

在我看，還是偶然。亂世不一定出英雄，亂世不一定出哲學家。十年「文革」亂得可以吧，一個哲學家也沒有。

還是老觀點：春秋戰國的哲學黃金時代，奇就奇在出了一批天才——三百年出十個哲學家，以西方概率論，不算太多——不幸，中國從那時以後不再出哲學家了，吃老本吃了二千多年，坐吃山空。

一窮，窮在經濟上；二白，白在文化上；三空，空在思想上。

所以，唯物論之類進來，沒有抵擋。

胡適當初寫《中國哲學史大綱》，只有上集，下集寫不出（據考，上集，也不是胡的東西）。我願意提醒胡博士：《中國哲學史大綱》下集當夜可以脫稿，明天出版，裡邊一句話，十六個字：

春秋以降，哲學從缺。
無米難炊，請君原諒。

老子（生卒年不詳），姓李，名耳，又稱聃，楚國人。傳說很多，反而真相不明，壽年大概很高，總是百歲以上，有說是超過二百歲的。

為何我相信他特別高齡呢？是從他的哲理判斷的。中國哲學，我定名為「老年哲學」（西方哲學可以定名為「壯年哲學」）。其中，李耳的思想最透徹、孤寂、淒涼，完全絕望。

他看破兩大神秘：一是天，就是宇宙；二是人，就是生命。天，宇宙，是不仁。人，生命，是芻狗。這是李耳觀察到最後，咬咬牙做出的判斷。

這個觀察過程一定很長，所以我相信老子真的很老。如果以年齡排行，全世界哲學家恐怕李耳先生壽年最高，思想境界也最高，如果改「老子」為「高子」，也中肯。

老子的哲學著作只有一本：《道德經》，分上下篇，共八十一章（九九八十一）。傳說他要出關，官吏勸他留下一些言論，他才口授，別人記錄。我猜想，並非如此平平靜靜。魯迅寫〈出關〉也是依照通常的傳說，加上摩登的挖苦，旨在諷刺世道。

我來寫，就寫老子出關，一不是遁隱，二不是仙去，三不是旅遊：他老人家是去自殺的。他在出關之際，內心的矛盾痛苦達於極點。

老子恨這個世界，覺得犯不著留什麼東西來給後世，他又愛這個世界，要把自己的思想落成文字，給後來的智者。他的精神血統的苗裔明瞭他的痛苦，他的同代人沒有一個配得上與他談談，他徹底孤獨了二百多年。

但他要在未來中找朋友，找知音，於是有《道德經》。從文體看，他不是寫給「芻狗」們看的，而是寫給與他同等級的人。

所以，老子的文體與其他的諸子百家截然不同，就是不肯通俗，一味深奧玄

老子，看君、看民、看聖人、看大盜、看雞、看犬，從宇宙的角度、宇宙的眼光。

妙，也許一邊寫，一邊笑：你讀不懂，我也不要你讀，我寫給懂的人看。

後世奉《道德經》為道家的聖典、兵家的韜略、法家的理論。我把《道德經》看作什麼呢？是老子的絕命書，也是老子的情書。八十一章的第二十章，他破例哭出聲來：「眾人熙熙，如享太牢，如登春臺，我獨泊兮其未兆。」只我一個彷徨無著落，去哪裡呢？

這一章，與貝多芬晚年四重奏慢板所吐露的感慨、情操，是相通的。而且克制了紊亂的傷痛，端端正正，繼續寫他的情書和絕命書。

李耳是個叛逆者。常言道，尼采哲學存在於尼采之前，老子、莊子，便是尼采之前的尼采。

在這個世界上，這個宇宙中，渺小的人都是奴隸，即使當了皇帝（包括教皇），如果人格渺小，一樣是奴隸——偉大的人，必是叛逆者。

中國，上、中、下三等人，都尊「天」為無上的主宰，尤其儒家，以及後來的理學家，說到「天」，就跪下來了：「獲罪於天，無所禱也」、「天人合一」、「天命不可違也」。

獨有老子，一上來就拆穿把戲：「天地不仁，以萬物為芻狗。」叛逆的氣勢好大！

當然，奴隸們不服，反問道：「那麼聖人呢，聖人是最仁的呀。」老子立即說：「聖人不仁，以百姓為芻狗。」

我常要講我的認識論，次序是這樣的：

宇宙觀→世界觀→人生觀

在座有人說，這個次序誰不知道呀。那我改動兩個符號的方向：

宇宙觀←世界觀←人生觀

看來也不能驚世駭俗。但我問，你周圍，你過去的朋友，幾個人具備人生觀？再推論，那些人生觀哪裡來？不過人云亦云而已，極少是由世界觀引伸而來。

好，極少數人，有人生觀，又有世界觀。再推論，他們有沒有宇宙觀？更少之又少——宇宙嘛，那是天體物理學家的事，關我鳥事——情況大體上是這樣的。

現在，我要不留情面地下決斷了：

不從宇宙觀而來的世界觀，你的世界在哪裡？不從世界觀而來的人生觀，你不活在世界上嗎？所以，你認為你有人生觀，沒有、也不需要世界觀，更沒有、也更不需要宇宙觀——你就什麼也沒有。

飛禽走獸不需要「禽生觀、獸生觀」，一樣地飛，一樣地走，這是運氣、福氣。做人而不幸成了知識分子、藝術家，不免就要有一個人生觀：它是從世界觀生出來的。那世界觀呢，當然溯源於宇宙觀。

爽爽快快說一遍：宇宙觀決定世界觀，世界觀決定人生觀。老子、莊子、尼采、釋迦牟尼，都從這樣順序而思考的。

唯物辯證法號稱無所畏懼、積極樂觀。如果全世界科學家一致預測有一顆星球，半年內將與地球相撞，兩球同歸於盡，請問唯物主義者們，站得住腳嗎？

只有從宇宙觀來的世界觀、人生觀，這才真實懇切，不至於自欺欺人——老子的哲學，特別清醒地把宇宙觀放進世界觀、人生觀。老子看君、看民、看聖人、看大盜、看雞、看犬，從宇宙的角度、宇宙的眼光。

一般書生之見、市儈之見，乃至學者、專家、大儒，都說老子消極、悲觀、厭世。

我說，正是這一代一代的愚昧無知、剛愎自用，才使老子悲觀、厭世、消極。

從五十年代開始，要求人人都要積極、樂觀、熱愛生活——這個圈子兜得好大，好漂亮，當時要算最有學問的高級知識分子也都一致認為，積極、樂觀、愛生活，總是錯不了的，消極、悲觀、厭世，總是資產階級思想，錯透了，萬萬要不得。

其一，資產階級哪裡是在消極、悲觀、厭世？「自由世界」當時起勁樂著呢，消極、悲觀、厭世，並不是「資產階級思想」。好，其二，太陽系處於中年期，到了老年期，能量消耗完了，地球將要冷卻。等到整個太陽系毀了，這個物理判斷，是資產階級造謠嗎？

# 老子哲學是傷心人語

我們再講文學史。上次講中國古代歷史學家，我處處要講他們的文學造詣、文學成就。今天談哲學家，開門見山，這座山，是中國最大的山。

具有永恆性、世界性的中國哲學家，恐怕不多，大概一個半到兩個。諸子百家，是倫理學家，研究社會結構、人際關係；是政論家，討論治國之策。只有老子思考宇宙、生命。莊子，是老子的繼續，是老子哲理的藝術化。

中國哲學家只有老子一個，莊子半個。

如果認為莊子文章如此好，算一個吧。那麼中國總共兩個哲學家，但性質不同，後人說起來總是「老莊哲學」、「老莊思想」。魏晉那麼多絕頂聰明人，沒有人給老子、莊子做「本質定位」，我是說，老子、莊子的氣質，有所不同。

老子是阿波羅式的，冷靜觀照，光明澄澈。莊子是狄俄倪索斯式的，放浪形骸，鬱勃汪洋。老子是古典的，莊子是浪漫的。老子是苦行的，莊子是享受的。老子內斂克制，以少勝多，以柔克剛；莊子外溢放射，意多繁華，傲慢逍遙。

奇妙就奇妙在，兩者其實一體。希臘人崇拜日神和酒神。日神主音樂，酒神主舞蹈。音樂、舞蹈，不是總在一起嗎？縮小看，在某個人身上，可以住著老子和莊子，兩房一廳，洗手間公共——但這是比喻，比喻終究不能完全說明問題。我勸大家別太相信比喻。比喻是「言」，莊子主張「得意忘言」，他喜歡形象，叫做「得魚忘筌」。總之，我將老子定位為古典，莊子定位為浪漫，也僅是比喻，目的是想回到「文學」。

講到這裡，可以正式談談老子的思想及其文體。

老子生活的時代，是很壞的時代。政治卑鄙齷齪，各種治國理論紛紛出籠，而天下愈弄愈亂，原因：一，理論有謬誤；二，實踐歪曲理論。所以，老子才提出「無為」、「無治」。可是我總是覺得老子這般說法，是生氣，是絕望，是唱反調，是現狀逼得他往極端走。所以，老子哲學是傷心人語，看透人性的不可救，索性讓大家回到原始狀態。

不尚賢，使民不爭；不貴難得之貨，使民不為盜；不見可欲，使民心不亂。是以聖人之治，虛其心，實其腹，弱其志，強其骨。常使民無知無欲……。

非常極端，非常不現實。世界上所有「烏托邦」構想，以老子最徹底，最有詩意，最脫離現實，絕對不可能。他的理想和當時的現實，他對他之後的一切的歷史現實，都是宿命地叛逆。明知做不到、不可能，他偏要這樣說。

這種近乎橫蠻的心理，一定來自極大的痛苦。

雞犬之聲相聞，民至老死不相往來。

也是發脾氣的話，一是等於說，你做皇帝、做官僚、做軍閥，都用不著；二這麼著，大家不必鉤心鬥角、不必投機販賣、不必爾虞我詐。

老子最早知道中國的兩種特產：一是暴君，一是暴民。

民不畏死，奈何以死懼之。

一語雙關，既對暴君說，又對暴民說。他反對法治，也反對人治。無為而治，等於架空皇帝，使其不成為暴君，只有商標，沒有貨。對於「人」（民和君），老子為什麼如此暴烈而偏激呢？他的人生觀、世界觀幾乎是粉碎性的決絕。原因，就是他的人生觀、世界觀，都從宇宙觀來。

天地不仁。

這個觀念，真是偉大卓絕，當時極摩登，現在更摩登。這一點，老子超越了多少思想家、宗教家。有沒有更摩登的觀念呢，有：

天地無仁無不仁。

這是什麼「子」說的，你們大概知道——老子還是「人」本位的，所以罵「天地不仁」，如果換作「宇宙」本位，仁不仁，何從說起？

所以老子悲傷、絕望、反激、咒詛、出壞主意，制訂了很多對付自然、對付人的策略，歷代軍事家都藉此取了巧、學了乖。老子，也免不了被異化的命運。

我愛老子，但我不悲傷、不絕望、不唱反調、不罵、不出鬼主意——我自得惡果，所以不必悲傷；我不抱希望，所以不絕望；我自尋路，一個人走，所以不反激。我也有脾氣要發，但說說俏皮話。

老子哲學的極精練、極豐富，就在他有明晰肯定的宇宙觀。反過來說，凡宇宙觀糊塗，或者忽而偏向有神論，忽而偏向無神論，想說又不敢說，或者說不清，總是差勁的，不能算哲學家。例如孔丘。

## 老子的文學、藝術、哲學

老子的文學性呢？語言直白，可是含蓄，這是很難的。幾乎看不到還有別人能用這種文體。直白，容易粗淺，含蓄，就晦澀了，而老子直截了當說出來，再想想，無限深意，我喜愛這種文體！

文學，有本事把衣服脫下來。多少有名的文學，靠服裝，古裝、時裝，琳琅滿目，裡面要嘛一具枯骨，要嘛一堆肥肉。莊子的衣裳就很講究，漢人喜寬博，魏晉人穿得瀟灑，唐人華麗，宋人精巧，明清人學唐宋衣冠學不像，民國人亂穿衣，亂到現在，愈來愈亂。

文學、藝術、哲學、思想，像人的肉體一樣，貴在骨骼的比例關係，肌肉的停勻得當。形體美好，穿什麼衣服都好看——最最好看，是裸體。

思想、情操愈是高超、深刻、偉大，愈是自然地湧現。可是怎麼會含蓄無窮呢？因為思想情操本身細緻豐富。請看希臘：希臘的雕像，裸體的；希臘的神廟，那柱子，那浮雕，都可說是裸體的。圓就是圓，三角就是三角。到巴洛克（Baroque），就穿衣服了，到洛可可（Rococo），全是裝飾，內在的真實被掩蓋了。

我們來看看老子的文筆和文體。

> 道可道，非常道；名可名，非常名。

他的意思是說：原理呢，可以講的，但不能用一般的方法講；要給萬物定位稱呼呢，也可以的，但不能用通俗的既成見解來分類。

惚兮恍兮，其中有象；恍兮惚兮，其中有物。

直通現代藝術，直通現代物理學。人的精神世界，宇宙的物質世界，都是恍恍惚惚。從「人」的角度去觀照、去思索，更是恍恍惚惚。先要承認「恍惚」，才能有所領會。

上面幾句，簡，直白，含蓄。

老子奇特，他主張退、守、弱、柔，這在全世界的思想領域中，獨一無二。一是他的氣質，二是他吃夠了苦，對付宇宙自然，對付人事生活，退、守、弱、柔，才能保全自己，立於不敗。東方文化、東方精神，無疑老子是最高的象徵。《周易》也和老子哲學通，都是吃足苦頭的經驗。

讀《易經》，讀《道德經》，我都為古人難受。他們遍體鱗傷，然後微笑著，勸道：「可要小心，不要再吃虧。」

中國從開始就受大罪，一代代暴君暴民，暴君殺人，暴民幫暴君殺，暴君再殺暴民，暴民逼急了，便殺暴君，然後自己做暴君，當然還是殺人。老子說：

民不畏死，奈何以死懼之！

這句話，聲色俱厲，十足老子風格，像是一下子喊出來，意義卻複雜得很。人不怕死，判死刑也沒用。用死去嚇他們，無效，想別的辦法吧。你太殘暴，怎可用死來威逼？你殺人，人是殺不完的。不從根本上解決，光靠殺人，不是辦法。

聖人與大盜，相對而存。到了沒有聖人的時候，也就沒有什麼可盜。

老子的理想世界，全然夢境，是他個人的詩的烏托邦。老子之後，世界背向老子而發展，無論大綱細節，處處與老子的理想相違背。老子沒有歷史眼光？沒有群眾觀點？老子一個人空思妄想？我不這樣看。老子的想法、原則，是對的，問題在於，人類是壞種、壞坯，做不到，也不肯做老子所希望的，不能怪老子。

這是老子的純藝術的一面。

另一面，是老子哲學的實用性，一步一個腳印哩——你要「揚」，先「抑」之；你要得到它，先放棄它；你要推翻它，先擁護它。最簡單比喻：你要收穫，先埋種子。對待天命，對待人事，老子的話最樸素，最有實效。

話得說回來，哲學、文學，不可以拿實用主義去看。哲學、文學屬極少數智慧而多情的人，是幸福，是享受，和大多數人沒關係。鄉下老大娘與莎士比亞有何因緣？地鐵上搶劫的黑人，不知道「聖人不死，大盜不止」——這是一個使人心平氣和的解釋。

全世界讀《道德經》的人，還真不少。二次大戰前，德國大學生讀尼采。大戰後，必讀李耳。《道德經》的英譯、法譯、德譯，版本不斷更新。最近美國的什麼書店又請人重譯老子，李老先生就有這點魅力，世界忘不了他。

## 《道德經》警句

下面扼要節引《道德經》文句。老子的著作，句句都是警句，這裡不一定按照各章的次序。

以其不自生，故能長生。（第七章）

意思是如果不結結巴巴狠命地保養自己，倒反而活得長壽（皇帝與村嫗）。

多藏必厚亡。（第四十四章）

財多，就以物累形，反而加速死亡。

故常無欲（第一章）。不見可欲（第三章）。少私寡欲（第十九章）。夫惟不爭，故天下莫能與之爭（第二十二章）。

虛其心（第三章）。致虛極（第十六章）。虛而不屈（第五章）。

虛心，沒有成見，沒有要求，就能以無窮盡的智慧觀照無窮盡的宇宙萬物。

上善若水。水善利萬物而不爭（第八章）。守靜篤（第十六章）。靜為躁君（第二十六章）。清靜為天下正（第四十五章）。

清靜能使外界的真相從我心中顯現。

吾所以有大患者，為吾有身，及吾無身，吾有何患（第十六章）？飄風不終朝，驟雨不終日，孰為此者，天地。天地尚不能久，而況於人乎（第二十三章）？

失德而後仁。（第三十八章）

失仁而後義。（第三十八章）

大道廢，有仁義。（第十八章）

絕仁棄義，民復孝慈。（第十九章）

法令滋彰，盜賊多有。（第五十七章）

一個哲學家，總得自己定一個點，定一個名。叔本華，自由意志；尼采，權力意志；黑格爾，總念（Begriff，先於宇宙萬物的觀念而存在的）；孔丘是仁、孟軻是義、韓非是法等等。不學哲學的人，一眼望去，蔚為大觀，其實很可憐。這使我想起物理學的槓桿作用，物理學家誇口說：「給我一個支點，我可以把地球撬起來。」但誰也不能給他這個支點，而思想家自己架構了精神界的支點。老子，他提出「道」，「道」就是他理論的支點。

禮→義→仁→德→道→

推理而定名——哲學家。

感知而不定名——藝術家。

道生一，一生二，二生三，三生萬物。（第四十二章）

惟道是從。（第二十一章）

天，也是從道而來：「天法道（第二十五章）。」天者，在古代指宇宙，那麼，宇宙從道而來。在這裡不期然想起黑格爾。黑格爾認為觀念先於物質而存在，換言之，物質僅是觀念的實現，而諸種觀念皆決定於一個總念。宇宙，就是這總念的物質化。宇宙尚未物質化時，總念早已存在。

這樣把道和總念相提並論，大家是否覺得有點類同？我夾在一老一黑之間，怎麼辦？

我懷疑道，也懷疑總念。懷疑了四、五十年，結論是，兩者概不承認。宇宙既不實在，亦不空虛，既無道，亦無總念。老子與黑格爾需要「支點」架構理論，支點一抽掉，整個理論垮下來。

不是不要支點，但我一生沒有致力於尋找支點。起初我就明白：精神界的槓桿所需的那個支點，是找不到的。

物理學上的支點，是存在的。足以「撬動地球」的支點，在理論上也是存在的。唯有足以撬動宇宙的支點，或者說，撬動道和總念的支點，不可能。

我寫：「蒙田不事體系。在這一點上，他比任何人都更深得我心。」蒙田不是思想家、哲學家，他終生研究「人」，不是「宇宙」。他的不事體系與我的不事體系，兩回事，我抬出他，是借他開一開門，讓我走出來。

蒙田先生博學多才，建立體系，太容易了。可是他聰明，風雅，不上當。尼采也不事體系，比蒙田更自覺。他認為人類整個思維系統被橫七豎八的各種體系所污染。

以上的話題，提得太高。總之，建立體系而成一家之言，並不難，不事體系而能千古不朽，卻是極難極難。

一般的體系，可說是外化的精密、宏觀的精密。我取內化的精密、微觀的精密。外化的功能，體現在推理而定名，那是哲學、哲學家；內化的功能，表現在感知而不定名，那是藝術、藝術家。哲學家中，只有尼采一個人覺察到哲學的不濟，坦率地說了出來，其他哲學家不肯承認思想歷程的狼狽感。凡是蹩腳的、吃哲學飯的「桶子」們，從來標榜哲學是一切學的總框。

再舉兩則別人對老子哲學的評價：

一，《呂氏春秋．不二篇》——「老聃貴柔。」

二，《荀子．天論篇》——「老子有見於詘，無見於信。」詘，即屈；信，即伸。這兩個看法，我嫌淺顯，讀不起《道德經》，老子自己才會說話哩！他說：

柔弱勝剛強。（第三十六章）

天下之至柔，馳騁天下之至堅。（第四十三章）

骨弱筋柔而握固。（第五十五章）

人之生也柔弱，其死也堅強。萬物草木之生也柔脆，其死也枯槁。故堅強者死之徒，柔弱者生之徒。（第七十六章）

強大處下，柔弱處上。（第七十六章）

天下莫柔弱於水，而攻堅強者莫之能勝，其無以易之。（第七十八章）

弱之勝強，柔之勝剛，天下莫不知，莫能行。（第七十八章）

《道德經》第二十八章，老子又發揮「柔」的原理：

知其雄，守其雌。

知其白，守其黑。

知其榮，守其辱。

極其厲害的戰略，是以對付宇宙、對付世界、對付人生。具體戰術呢，第三十六章中已說明：

將欲弱之，必固強之。
將欲廢之，必固興之。
將欲奪之，必固與之。

偉大的思想都有毒的，你能抗毒，你得到益處。老子的觀點和方法，可供與老子同品格的人借鑒運用。但不幸，老子的方法論，常被壞人拿去為非作歹了，還反咬一口，歸罪於他。大陸有青年犯法，交代時說，讀了尼采著作的緣故。

希望大家讀《道德經》。有疑難，有問題，可以找我。電話是七一八—五二六——三五七，我總在家的。老子主張：

治大國若烹小鮮。

我在家，烹小鮮如治大國。大家要是覺得好笑，說明我講老子哲學沒有白講。老子說：

不笑不足以為道。

祝賀大家得道了。

曾經有一位外國學者，F・卡普拉（Fritjof Capra），記不得哪國了，他在一本《物理學之道》（*The Tao of Physics*）中說：「《道德經》就是以一種令人費解的、似乎不合邏輯的風格寫成的，它充滿了迷人的矛盾，它那有力而富有詩意的語言，捕獲了讀者的心靈，使讀者擺脫了習以為常的邏輯推理的軌道。」

這倒正可為老子的文學價值做注解。

第15講

# 先秦諸子：孔子、墨子

孔丘殺少正卯　《論語》的文學性　〈非攻〉　兼愛

1989.10.29
在李全武家

孔丘鐵腕，把少正卯滅了。後來儒家掩蓋這件醜事。但荀況揭露出來。
這件事我認為很重要，迫害知識分子，是孔丘理論的破產。

孔丘的言行體系，我幾乎都反對——一言以蔽之：他想塑造人，卻把人扭曲得不是人。所以，儒家一直為帝王利用——但我重視孔丘的文學修養。

墨子提出「鉅子」的學說，甚至成立制度，有點像黑社會的教父，青紅幫的龍頭。黑社會專幹壞事，青紅幫占地為王，墨子卻為的是正義、和平、博愛。和黑社會相似的一點，是鉅子制度中的成員都能赴火蹈刃，視死如飴。

上次單講老子，講前講後，我感慨很深。

老子的思想，老子的哲學，太老了。在他之前，他的文化繼承不長。李耳的老師是誰，李耳的參考書是什麼？有多少？都不可考。可以想像他是自學的。無師自通，沒有參考書，是全憑自己的血肉之軀，觀照冥想——耶穌和釋迦牟尼還有前人的經典可讀呢。

我的意思是：李耳的個人壽年很長，他的文化繼承，歷史很短，而我們的文化繼承，超過二千年。

思想家的閱歷和知識，分直接和間接。憑生活體驗，沉思冥想，是直接的；博覽群書，參看別人的閱歷、記載、知識等等，是間接的。合在一起，便是現代思想家的歷史壽命。

對照之下，老子據說二百多歲，我們呢，二千多歲。環顧四周，沒有偉大的思想家。所以上次講課回家，心中悶悶不樂。

老子的哲學老了，小子的哲學，零零碎碎，像夾心餅乾，夾在散文中、詩中：巧則巧矣，避重就輕。我總得正面寫一部哲學著作，才算坦白交代、重新做人——重新做藝術家。

孔子曰「三十而立」。我沒有這樣早熟。三十歲時，我關在牢裡。當時我笑，笑人生三十而坐，坐班房。但我有我的而立之年，叫做「六十而立」，比孔子遲三十年。

## 《論語》，精練的散文詩

今天講孔子。

你們小時候練毛筆字，有誰經過「描紅」的？就是毛邊紙的方格習字簿，每格印有紅字，小學生用毛筆蘸了墨，一筆一筆把紅字填成黑字：

上大人　孔乙己　化三千　賢七十

孔子，一說生於公元前五五一年，卒於公元前四七九年，七十三歲。名丘，字仲尼，魯國曲阜人。曾做過魯國的司空、司寇（司空，唐虞時有之，平水土，六卿之一，清時俗稱工部尚書，類工業部長。司寇，亦六卿之一，掌刑獄，清時俗稱刑部尚書，類公安部長），後來罷了官，只好收學生講學，周遊列國。到六十八歲，回魯地，專心著述，編訂《尚書》、《詩經》、《周易》、《春秋》，還訂定了《禮記》與《樂經》。

孔丘的思想與李耳正好相反，樂觀、積極、務實，概括起來說，孔丘的理想是恢復堯、舜、文、武的禮樂，以中庸之道架構人倫關係。他根據周公的原則，周詳地建立了一個生活模式。

他的祖先本是宋國貴族，父親做了魯國的大夫，才歸為魯國人。孔丘本人，「少也賤」，做過倉庫管理員，放過牛羊，充當過吹鼓手（樂師）。說這些，並非笑話他，而是說明他頭腦很實際。那年代和希臘雅典一樣，一個城市等於一個國，魯國的大夫如孟孫、季孫，都自己建築都城。孔丘反對，暗中唆使學生子路，設計破壞這種城。可見孔二先生很有一套陰謀詭計。

我最有意見的是，孔丘殺少正卯，是一樁冤案。他擔任魯國司寇，實際是宰相。他曾說，「子為政，焉用殺」（政治幹得好，用不著殺人），自己一上臺，不到七天，處死少正卯。少正卯是個學者，也收徒講學，思想新、口才好，把孔丘的門徒吸引不少過去。孔丘記恨，扣他大帽子：

一，聚眾結社；二，鼓吹邪說；三，淆亂是非。

孔丘自己對少正卯的判斷：

「心達而險，行辟而堅，言偽而辯，記醜而博，順非而澤。」純粹是思想作風問題，明明是孔丘硬加罪名，本來的少正卯，可能是：「心達、行堅、言辯、記博、順澤。」

孔丘很像「文革」理論家，安上「險」、「辟」、「偽」、「醜」、「非」五個惡毒的字眼，概念全變了。即使如此，也不犯死罪。可是孔丘鐵腕，把少正卯滅了。

後來儒家掩蓋這件醜事。朱熹就否認，說《論語》不載，子思、孟子不言，沒這回事，造謠。但荀況揭露出來。

這件事我認為很重要，迫害知識分子，是孔丘理論的破產。我從孔丘的虛偽，從他理論的不近人情，從他的心理陰暗面，推測殺少正卯是真。我很惋惜少正卯沒有著作留下來。可能有點尼采味道的。假如我在春秋戰國時代，我也開講，會不會被孔丘殺掉呢？他上臺，我就逃。

我們講文學史。按理說，孔丘自稱「述而不作」，不是作家，至少不是專業作家、流亡作家。但古代的思想家，如耶穌、釋迦牟尼、蘇格拉底、李耳，自己不動筆的。孔丘的代表作是《論語》，是對話錄，由他的學生記錄整理的。

《論語》的文學性，極高妙，語言準確簡練，形象生動豐富，記述客觀全面。

我小時候讀四書五經：《大學》、《中庸》、《論語》、《孟子》（經、史、子、集），《易》、《書》、《詩》、《禮》、《春秋》（原來是六經，《樂經》亡於秦，漢以《詩》、《書》、《禮》、《易》、《春秋》為五經）。四書中，我最喜歡《論語》，五經中，最喜歡《詩經》，也喜歡借《易經》中的卜爻胡說八道。

夏天乘涼，母親講解《易經》，背口訣：「乾三連，坤六斷，震仰盂，艮覆碗，離中虛，坎中滿，兌上缺，巽下斷」——附帶說一說，《周易》的文學性也很高妙。可惜來不及專講《周易》，像這樣的一個月兩堂課，得花半年才講得完一部《易經》。

回到《論語》——有一天子路、曾皙、冉有、公西華侍坐。孔子曰：「以吾一日長乎爾，毋吾以也。」

不要以為我年紀比你們大，你們就不肯表示意見了。

「居則曰：『不吾知也！』如或知爾，則何以哉？」

平時你們常說「沒有人理解我呀」，如果有人瞭解你，你又將怎樣去做呢？

子路率爾而對曰：「千乘之國，攝乎大國之間，加之以師旅，因之以饑饉。由也為之，比及三年，可使有勇，且知方也。」

子路不假思索答道：「如果有個一百平方里土地和一千乘戰車的侯國，受到大國的威脅，軍事入侵，繼之又發生災荒（饑，穀不熟；饉，菜不熟），我可以出而治理，用不到三年，便能使人民奮起作戰，而且懂得禮法。」

夫子哂之。

孔子對他微笑。

「求！爾何如？」（求，冉有。）

對曰：「方六七十，如五六十，求也為之，比及三年，可使足民。如其禮樂，以俟君子。」

有個六、七十里見方或五、六十里見方的小國，我來治理，不用三年，可使人民豐衣足食，至於禮樂教化，只有待修養更高的人來推行了。

「赤！爾何如？」（公西華，姓公西，名赤，字子華。）

對曰：「非曰能之，願學焉。宗廟之事，如會同，端章甫，願為小相焉。」

我不敢說能做什麼大事，願意學習罷了。在諸侯的祖廟裡行祭祀，或者諸侯間集會，我也穿禮服，戴禮帽（章甫是殷制禮冠），願意參與作儐相的。

「點！爾何如？」（曾皙，名點，字皙。）

鼓瑟希，鏗爾，舍瑟而作，對曰：

「異乎三子者之撰。」

瑟聲漸輕，鏗然而止，他放開瑟而直起腰來，跪著說：我的意思和三子是不同的。

子曰：「何傷乎，亦各言其志也。」

孔子說：「有什麼要緊呢，各人說各人的志向啊。」

曰：「暮春者，春服既成，冠者五六人，童子六七人，浴乎沂，風乎舞雩（音於），詠而歸。」

暮春季節，已穿夾衣了，二十歲以上的五、六個，二十歲以下的六、七個，在沂水的溫泉裡洗澡、薰香，在舞雩的求雨臺上乘涼，然後唱著歌回來。

夫子喟然歎曰：「吾與點也！」

孔子感慨道：「我同意點的想法啊。」

三子者出，曾皙後。曾皙曰：「夫三子者之言何如？」

子曰：「亦各言其志也已矣。」

曰：「夫子何哂由也？」

曰：「為國以禮，其言不讓，是故哂之。」

治理國家應該禮讓，子路不知謙遜，所以我笑他。

「唯求則非邦也與？安見方六七十如五六十而非邦也者？」

難道冉求說的就不是治理國家的事嗎？哪有六七十、五六十平方里的不是國家的呢？

「唯赤則非邦也與？」「宗廟會同，非諸侯而何？赤也為之小，孰能為之大？」

難道公西赤所講的不是治理國家的事嗎？有宗廟、有盛會，不是國家的事？公西赤只要做個小司儀，還有誰能做大司儀呢？

整本《論語》，文學性極強，幾乎是精練的散文詩。

文學的偉大，在於某種思想過時了，某種觀點荒謬錯誤，如果文學性強，就不會消失。我常常讀與我見解截然相反的書，只為了看取文學技巧。孔丘的言行體系，我幾乎都反對——一言以蔽之：他想塑造人，卻把人扭曲得不是人。所以，儒家一直為帝王利用——但我重視孔丘的文學修養。

剛才例舉的片斷，真好。

上次我講老子，主要介紹他的哲學思想，當然，重點還是老子的文學價值。這次講孔子，只談《論語》的文學性。

孔子，既不足以稱哲學家，又不足以稱聖人。他是一個庸俗的高級知識分子，奇在內心複雜固執，智商很高，精通文學、音樂，講究吃穿。他欲望強盛，種種苛求，世界滿足不了他，他一定要把不可告人的東西統統告人。

所以虛偽，十分精緻地虛偽——食不厭精，膾不厭細，割不正不食，君子死不免冠，君子遠庖廚，秋穿什麼皮衣，冬穿什麼麑皮，三月不做官，惶惶如也。父親做壞事，兒子要隱瞞，罵人，賭咒，等等——如果仔細分析他的心理，再廣泛地印證中國人的性格結構，將是一篇極有意思的宏文。

「五四」打倒孔家店，表不及裡。孔子沒死，他的幽靈就是無數中國的偽君子。

# 墨子，為正義、和平、博愛的黑社會教父

急轉直下，談墨子。

墨子，名翟，有說是魯人，有說是宋人。一說他生於公元前四六八年，死於公元前三七六年，大約八、九十歲。他出生治工藝的階層，是有技術的奴隸，非常好學。因生於魯國，當然受業於儒者。他有獨立思考的能力，一上來就認為孔子的理論偏極端。

一，禮制太繁瑣；二，厚葬耗費財力；三，守喪三年太長，又傷身體，又誤生產。

他捨棄儒學，效法禹酋長，疏通河道，參與水利工程，不怕艱難困苦，與上層下層人物廣泛接觸。

值得注意：儒家的重禮、厚葬、守制，目的是盡人事，以愚孝治國，是宗族主義的大傳統。這些陳陳相因的傳統，全民族信為天經地義。墨翟為何一下子就看出不對？我認為，根本在於「真誠」。

真誠，先要自己無私念，不虛偽，再要用知識去分析判斷，事物就清楚了——這一點安身立命的道理，我推薦給各位，以後研究任何問題，第一要脫開個人的利害得失，就會聰明。我推崇墨子，他不自私、不做作，他不能算思想家、哲學家，但我喜歡他的「人」。

早年我在北京設計展覽會，喜歡一個人逛天橋，去東安市場聽曲藝相聲，在東直門外西直門外的小酒店，和下層人物喝酒抽菸聊天。他們身上有墨子的味道，零零碎碎的墨子。

墨子提出「鉅子」的學說，甚至成立制度，有點像黑社會的教父，青紅幫的龍頭。黑社會專幹壞事，青紅幫占地為王，墨子卻為的是正義、和平、博愛。和黑社會相似的一點，是鉅子制度中的成員都能赴火蹈刃，視死如飴。北京、上海等等民間社會還有這種潛質。說來你們不信，我文質彬彬、書卷氣，其實善於和流氓交朋友，一定要是大流氓，或將成為大流氓的苗。可惜中國沒有墨子派的大流氓了，眼下只有小癟三。

有一段對話，可以說明儒家與墨家的基本態度。

墨子問儒者：「何故為樂？」儒者答：「樂以為樂。」

墨子比喻道：如果我問何故為室，作答「冬避寒焉、夏避暑焉，室以為男女之別也」，這樣才算告訴我為室之故。我問何以為樂，你答樂以為樂，等於我問何故為室，你答室以為室，那你根本就沒有回答。

又例，楚王的臣子葉公子高向孔子問政：主政要主得好，應當怎樣？孔子答：「遠者近之，而舊者新之。」聽起來很高尚，大有深意。墨子拆穿道：葉公未得其問，孔子亦未得所以對。難道葉公不知善為政者能使遠者近之，舊者新之嗎？明明是問怎樣才能做到這個地步呀。

葉公是糊塗人，孔子是偷換概念的老手，墨子誠實、聰明。

「君子必古言服，然後仁。」

墨子說：古服，在古代是新服。古言，在古代是新言。所以古之君子都是新服新言，這豈不是在說古人不仁、不是君子嗎？

這又十分機智、爽利。

墨家不重文采，但通順樸實，明白痛快，條理嚴謹，邏輯性很強。當春秋末年，各國兼併愈烈，戰爭頻繁。墨家代表庶民的生活要求，反對不義的戰爭，墨子寫了〈非攻〉。我們來讀〈非攻〉的上篇：

今有一人，入人園圃，竊其桃李，眾聞則非之，上為政者得則罰之，此何也？以虧人自利也。至攘人犬豕（駛）雞豚（屯）者，其不義又甚入人園圃竊桃李。是何故也？以其虧人愈多。苟虧人愈多，其不仁茲甚，罪益厚。至入人欄廄，取人馬牛者，其不仁義又甚攘人犬豕雞豚。此何故也？以其虧人愈多。苟虧人愈多，其不仁茲甚，罪益厚。至殺不辜人也。扡（即拖，奪也）其衣裘，取戈劍者，其不義又甚入人欄廄，取人馬牛。此何故也？以其虧人愈多。苟虧人愈多，其不仁茲甚，罪益厚。當此天下之君子皆知而非之，謂之不義。今至大為攻國，則弗知非，從而譽之，謂之義。此可謂知義與不義之別乎？

殺一人謂之不義，必有一死罪矣。若以此說往，殺十人，十重不義，必有十死罪矣。殺百人，百重不義，必有百死罪矣。當此，天下之君子皆知而非之，謂之不義。今至大為不義攻國，則弗知而非，從而譽之，謂之義。情不知其不義也，故書其言以遺後世。若知其不義也，夫奚說書其不義以遺後世哉……。

這種文體非常適宜於做演說，與羅馬雄辯家的風格很像。

孔、墨，處處對立，現在看看，還是很有勁。孔說「仁」，墨子以「兼愛」來動搖「仁」，因為「仁」只偏愛「王公大人」的血族。

儒家以「孝」為「仁」之本。墨子說：「愛人若愛其身，猶有不孝者乎？」「孝」與「忠」是一體的，「孝」被墨子鬆掉，「忠」也談不上了，就無法「克己復禮」，無法恢復宗族的奴隸制軌範。

墨子的積極主張，在於兼愛，兼愛的核心，可以概括為三：

一，兼相愛，交相利。

二，賞賢罰暴，勿有親戚弟兄之所阿。

三，雖在農與工肆之人，有能則舉之，高予之爵，重予之祿，任之以事，斷予之令……故官無常貴，而民無終賤。

墨子認為孔子的「仁」，沒有新意，是「以水救水，以火救火」，救不出名堂來的。

孔子的宿命論不是宇宙觀上的宿命，他在世界觀、人生觀上的宿命是偽宿命論，目的是為帝王提供麻痹奴隸們的自強，永遠受愚民教育。這就使墨子的「非攻」、「兼愛」、「交利」的學說大受阻礙，墨子又創「非命」。

當時孔墨之爭是劇烈的。可悲的是，從漢朝開始，儒家一直是中國帝王的參謀，罷黜百家，獨尊儒術。墨家，卻是從來沒有哪一朝的皇家用來做治國綱領。如果二千年來中國取墨子思想，修身、齊家、治國、平天下，那麼賽先生和德先生不用外國進口，早就大量出口。墨子思想就是科學、民主、平等、博愛的先驅。

這是中國的悲劇。

另一重悲劇：中國歷代憂國憂民的志士，竟沒有一個提出墨子思想是救國救民的大道，就像中國沒出過墨子一樣。法家倒時有提出，所以中國的制度和思想形成「禮表法裡」，推荀子為代表。唯其以禮為表，尊孔不尊荀，唯其以法為裡，韓非也被關進冷宮秦城天牢。各代皇帝私造律法，一路這樣混過來。

到譚嗣同，忽然想通了，說出來：「二千年來之政，秦政也，皆大盜也。二千年來之學，儒學也，皆鄉愿也。惟大盜利用鄉愿，惟鄉愿工媚大盜。」（《仁學》）

現在呢，還是一樣。清末民初多少知識分子窮思苦想，包括魯迅、胡適等等，梁啟超倒也發現，漢代經師不問今文學古文學，皆出荀卿。二千年間，宗派屢變，一皆盤旋荀學肘下。就我所讀過的譚嗣同和梁啟超的著作，似乎沒有正面大力提倡過墨學。梁啟超反而熱心引進馬志尼（Giuseppe Mazzini，一八〇五—一八七二）等外國人——我讀書太少，也許有人提出過墨學救國論，但總不起風浪，否則我不會一點也不知道。

魯迅那篇〈非攻〉，寫墨子，寫得很好，很幽默，但幽默救不了中國。獨裁，專政，如是戰亂的、短期的，可能是純粹野蠻，像一場急性病；而帝制的長期的統治，一定得偽善，形成一套禮表法裡的中國式的做法。

今天講孔墨鬥爭，儒家墨家的經典，在座都沒讀過。「批林批孔」了，才片面瞭解一點孔老二，談不上欣賞孔子的文采。孔子的思想體系，也早就被竄改歪曲了。

墨子不然，他和一位叫程子的談話，還對孔子有所稱道，可見墨子無私、高尚。他有他的方法論，叫做三表法。

先要本著前人的經驗來理解事物，也就是學習，但不是信而好古，要有根據，要有源本。

「是與天下之所以察知有與無之道者，必以眾之耳目之實，知有與亡為儀者也。」就是以實際的、當時的利益為校準，判斷事物。

運用第二點建立法制法令，然後實行，看效果來決定取捨，效果是指統治者與被統治者兩方都有利，才算可行。

這三表法，再通俗不過。我的意思是，中國哪一朝代、哪一個政黨，能按照墨子的原則辦事？所以中國搞不好，不是理論問題，是品質問題。民主運動，是個大是大非的問題，那些大是大非，我認為既重要，又不重要。唯一重要的是運動領導人的品質——所謂「墨子兼愛，摩頂放踵利天下，為之」，請問，哪一個可以和墨子比？

第16講

# 先秦諸子：孟子、莊子、荀子及其他

**天時、地利、人和　存夜氣　神莫大於化道　韓非子**

1989.11.12
在李全武家

唐宋八大家都受孟子影響，特別是韓愈、蘇東坡。

莊子的理想是什麼呢？「至人無己，神人無功，聖人無名。」這是他的哲學的厲害。我看這是禪的境界，是要把生命寂滅。

荀子是個強者，豪爽而實際。當時是個革新派。他將儒家分雅儒、俗儒、大儒、賤儒。

韓非子是戰國末年融會諸子百家的人物，創「形、名、法、術」之學，後人稱他「法理學家」。

# 孟、莊、荀、韓的文學性與價值

中國文化的黃金時代來得太早。只好哲學懷古。我最崇敬老子，其次孔子、莊子，今天講孟子、荀子、韓非子——怎麼這些哲學家都有那麼強的文學性？永垂不朽的文學價值。

中國文學史編者收孔、孟、老、莊時，忘了他們的文學性。

孟子（公元前三七二—前二八九），名軻，鄒國人。曾在齊國做過不大的官，無顯著政績。志氣高，人評「材劇志大」，劇，作「尤甚」解，當時此說略帶貶義。

「當今之世，舍我其誰。」孟子說。

孟子這樣說，誰受得了。他盡可以講，知識廣博。現在的中國知識分子講，受不了。

孔子談不上哲學家，孟子也不能算——我咬住這條不放，不承認。中國哲學少得可憐。西方哲學像歌劇，中國哲學像民歌。

但孟子文學才能極高，這是他們占的優勢。墨子吃點虧，文學才能不及其餘。老莊是不折不扣的藝術家，故贏得世界聲譽。

藝術家，占便宜的（別占小便宜）。要留名，一定要「文采風流」。畫家也特別需要文學修養。中國畫，一言以蔽之，全是文化，全是文人畫。拉斐爾不及達文西，文才不及也。

孟子比喻機巧。代表作〈梁惠王〉上篇，滔滔雄辯。太長，不宜講。講兩個短篇：

**《孟子．公孫丑》下篇**（子丑寅卯的丑，在古代不是指醜陋）：

孟子曰：「天時不如地利，地利不如人和。三里之城，七里之郭，環而攻之而不勝；夫環而攻之，必有得天時者矣；然而不勝者，是天時不如地利也。城非不高也，池非不深也，兵革非不堅利也，米粟非不多也，委而去之，是地利不如人和也。故曰域民不以封疆之界，固國不以山溪之險，威天下不以兵革之利；得道者多助，失道者寡助。寡助之至，親戚畔之；多助之至，天下順之。以天下之所順，攻親戚之所畔，故君子有不戰，戰必勝矣。」

**《孟子．離婁》下篇：**

齊人有一妻一妾而處室者，其良人出，則必饜酒肉而後反。其妻問所與飲食者，則盡富貴也。其妻告其妾曰：「良人出，則必饜酒肉而後反，問其與飲食者，盡富貴也，而未嘗有顯者來。吾將瞯良人之所之也。

中外不少詩人死得早，哲學家多長壽。孟子說：「吾善養吾浩然之氣。」這話很文學。「浩然」，形容詞，可隨時代和個人的差別而解釋。文天祥用「浩然」，是愛國，曹雪芹又作別解。要我解，比文天祥膽小，比曹雪芹老實。我以為「浩然之氣」，指元氣，如你果然獻身藝術，藝術會給你不盡元氣，一份誠意，換一份元氣。犧牲功利，犧牲愛情，背叛政治，得到藝術，真的要犧牲。

小細節上更難。光陰逝，要在一秒一秒消失的光陰中，保持藝術家風度，守身如玉，絕不讓步。

「善養」，指懂得養。

孟子還提出「存夜氣」。後半夜是「平旦之氣」，此是養身法，是生理的，又是心理的。我鄉下有「平旦」是「卯氣」的說法。蕭邦、梵樂希，都懂，一早起創作。

唐宋八大家都受孟子影響，特別是韓愈、蘇東坡。

莊子（公元前三六九—前二八六），民間傳說多，大家都知道姓莊，名周。宋國蒙地人，人稱蒙叟。做過小官，漆園地方官。貧，如陶潛一樣，借米燒飯。

著作五十二篇，存三十三篇。真正分內篇、外篇、雜篇。內篇，七，原著。外篇、雜篇，是學生寫的。果然最佳者為內篇。

與孟子同期，略小，兩人從未見過面。孟子文中從不提莊子。世人傳孟子看不起莊子，認為他是楊朱學說的翻版。當時楊朱勢力大，孟子反對，打擊楊朱一派，不提莊子。

中國文學的源流，都從莊子來。若不出莊子，中國文學面孔大不同。有莊子，就現在這樣子。漢的賦家、魏晉高士、唐代詩人，全從莊子來。嵇康、李白、蘇軾，全是莊子思想，一直流到民國的魯迅，骨子裡都是莊子思想。石濤、八大，似信佛，也是莊子思想。

中國的倫理觀是孔孟的，藝術觀是老莊的。

中國出莊子，是中國的大幸。直到章太炎，大學者，人以為他是小學家，其實他畢生精力，是以道家文體（莊）寫佛家哲學。

我也曾在莊子的範疇裡待了很久，然後才施施然走出。為什麼？莊子是浪漫主義。既然我要和西方浪漫主義告別，就要和中國的浪漫主義告別。所謂告別，即從前「好」過。

感歎：中國文學的黃金時代那麼早。

但我不是莊子的傳人。靠老莊一、兩個人，是不足以修補中國文化的斷層。對斷層的態度，只能冷冷看一眼，然後超越。你斷你的，我飛我的。

對民族文化，要斷就斷，要完就完。對個人來說，要連就連。斷層不過越過，勿做爬行動物，做飛行動物。

中國的唯物史觀論莊子，說他的世界觀比較複雜，是唯心主義、神祕主義。

中國現在的文風，其實是黨風。你講話、作文，不脫這股風，是脫胎而不換骨。

大到世界，小到藝術家，各有各的「正常」，各有各的人性。

以莊子文體論，當時已有「意識流」，如〈逍遙遊〉。莊子所有內篇，世稱《南華經》。他的浪漫主義，框架太空。莊子把讀者看得低，是寫給不如他的人看的。

我是古典主義的，把讀者看得高。

莊子的理想是什麼呢？「至人無己，神人無功，聖人無名。」這是他的哲學的厲害。我看這是禪的境界，是要把生命寂滅。

這說法不自然。浪漫主義致命的弱點，是拼命追求自然，最後弄到不自然。做不到的。所以是不誠實，不自然的。莊子的境界是碰在一個壁上，回不過頭，沒有餘地的。太說到極端的東西，不是一個智慧的說法。

而他的文學才華是史上最高超的。

庖丁解牛，講養生（人生的生）。當時愛護生命是很大的快樂，不像後來墮落成「活命哲學」。

荀子（公元前三一三—前二三八），名況，字卿，趙國人。戰國後期的儒家大師。當時商鞅變法已過，孔子已死，他是儒學的總結。荀子將「法」填入「禮」，才合適於一代帝王的統治術。歷來不肯明說，揚孔而隱荀。直到民初，有人提出，譚嗣同：「二千年來之學，荀學也。」

荀子是個強者，豪爽而實際。當時是個革新派。他將儒家分雅儒、俗儒、大儒、賤儒。

我問諸位有沒有讀過荀子，可能沒人回答，如果說「青出於藍而勝於藍」，大家都知道。這是荀子〈勸學篇〉裡的句子。

神莫大於化道，福莫長於無禍。

「神」，指微妙的事理、高深的修養。「化道」，指受知識的薰陶而使氣質變化，這才是學問的最高境界。講課，目的是要你們起變化。後一句令人傷心，是典型的東方哲學，是吃虧吃苦太多了。

強自取柱，柔自取束。

這是很有老子味道的。「柱」，在此是說「祝」，祝，斷之意。「束」，制約，限制之意。

問楛者勿告也，告楛者勿問也，說楛者勿聽也，有爭氣者勿與辯也。

「楛」，粗野，不合禮儀。

君子要「定」，即主見；「應」，即靈活。背後是德、操，終求君子之「全」。佛家：戒、定、慧。荀子：定、應、全。佛家是要出世的，很難做到；荀子要入世，不難做到。

韓非子，荀子的學生，是韓國公子，書上無生年，死於公元前二三三年。他是戰國末年融會諸子百家的人物，創「形、名、法、術」之學，後人稱他「法理學家」。他著作的文學特點：筆鋒犀利，說理透闢，通俗易懂。「矛盾」，典出於他的〈說難〉。

百家中，這七家最有成就，文學性最高。楊朱、公孫龍，也都有可觀的文學性。

問題：為什麼這些古代史家、哲學家、思想家，都有這麼高的文學才華？到宋代理學家，到近代哲學——梁啟超、康有為、胡適、梁漱溟、馮友蘭、朱光潛——文學才能就差了？

一種思維，一種情操，來自品性偉大的人，那麼這個人本身是個創造者。或曰，思維、情操的創造性，必然伴隨著形式的創造性。

藝術原理，形式、內容，是一致的。沒有形式的內容，是不可知的，獨立於內容之外的形式，也是不可知的。

這原理，可以運用到藝術觀，不可用到宇宙觀。宇宙沒有內容，沒有形式。

後世哲學家不過是思想的翻版、盜版，不是創造性的。所以，不可能有文學性。

譚嗣同說，秦政是盜政，儒學是鄉愿。惟大盜利用鄉愿，惟鄉愿工媚大盜。

脫盡八股，才能回到漢文化。回到漢文化，才能現代化。我關心未來化，所謂未來化，是我希望大家先知、先覺、先行。

大陸八股例：

首先，我認為，我們認為，相當，主觀上，客觀上，片面，在一定的條件下，現實意義，歷史意義，不良影響，必須指出，消極地，積極地，實質上，原則上，基本上，眾所周知，反映了，揭露了，提供了，可以考慮，情況嚴重，問題不大，保證，徹底，全面，科學的，此致敬禮。

每一宗教的創教者，都是坦蕩真誠的，所以他們是創造者，有創造性。凡教會就有功利性，然而又不能公開，故向上用經院哲學，向下是標語口號。任何一種意識形態，先要從語言入手，共產運動也如此。

老子、莊子，與中國的方塊字共存。

第17講

# 魏晉文學

《世說新語》　魏晉風度　維拉斯奎茲　清談　名士風度

1989.12.10

勿以為魏晉思想玄妙瀟灑，其實對人格非常實用，對生活、藝術，有實效。譬如談話，如能像魏晉人般注重語言，大有意思。要有好問，好答，再好答，再好問。

魯迅、周作人、郁達夫、郭沫若、茅盾、巴金、沈從文、聞一多、康有為、梁啟超、蔡元培等，他們對待「魏晉文學」的態度，是不知「魏晉風度」可以是通向世界藝術的途徑。

清談和名士風度，要分清。清談是美稱，到了明清，清談誤國。名士風度被人歪曲糟蹋，指人架子大，不合群。兩者在後世已變質，被搞臭了。

# 魏晉文學承先啟後

談西方文學藝術，可從文藝復興著手，往前推，往後看。

從中國文學入手，可從魏晉文學著手，往前推，往後看。

魏晉時代，正好是承先啟後。先看古文，興趣不大，看魏晉，容易起興趣。

談魏晉風度，要談到自己身上。魏晉後至今，凡人物，都有魏晉風度：金聖歎、龔自珍、魯迅；通往前面，老子、莊子。在魏晉之前，老莊在魏晉前影響並不大，直到魏晉後，經點釋發揚，玄風大暢。我遺憾魏晉人只談到老莊為止，自己不創。而今世界，又有談論老莊的新風。

《世說新語》，妙在能將嫗語童語也記入。現在資訊發達了，卻做不到。魯迅自己弄不清自己的心態。他愛魏晉，一說，卻成了諷刺取笑魏晉。

魏晉時代，不是文藝復興。

兩種思潮：希伯來思潮、希臘思潮。前者苦行、克制、重來世、理想、修行，但做不到，必偽善，違反人性。後者是重現世、重快樂、肉體、欲望、享受。世界史總是兩種思潮起伏，很分明。唯中國沒有希臘思潮，唐代，稍有點。

中國非常非常不幸，什麼事都是例外。

現在是魏晉風度回顧展，也是魏晉風度追悼會。要繼承發揚。

勿以為魏晉思想玄妙瀟灑，其實對人格非常實用，對生活、藝術，有實效。譬如談話，如能像魏晉人般注重語言，就大有意思。要有好問，好答，再好答，再好問。古之存在，即為今用。

漢末，三國爭雄，曹操受封為魏公，魏國本是曹操輔漢家人，傳到曹丕，篡漢，立國號魏，建都洛陽。廣有十三州（河北、河南、山東、山西、甘肅、陝西中部，湖北、江蘇、安徽之北部，遼寧中部及西部，朝鮮西北部），蓋中國東北南部、華北大半部。

曹操，有說法稱，其本姓夏侯。父曹嵩為太監曹騰的養子，冒姓曹。活著時未稱帝，死後曹丕追謚曹操為武皇帝，稱魏武帝。謚，死後追贈之意。公元二二〇年至二六五年，歷三世、五主，魏朝共四十六年。

晉，司馬炎受魏禪，併吳、蜀而有天下，國號晉。傳至愍帝，為前趙滅——

是為西晉。元帝渡江，都建康（南京之南），傳至恭帝，禪於宋——是為東晉。晉是司馬炎的天下。重複魏朝逼宮歷史，國號晉。前後歷一百五十六年。

北魏（以曹魏在前，故亦稱後魏。後宇文泰定都長安，史稱西魏。高歡別主、立元善見為孝靜帝於洛陽，史稱東魏）、北齊、北周，均擴北方，史稱北朝（三九六—五八一）。

在文學史上，魏晉風度作為千古美談，萬世流芳，就是從漢末到晉末的二百年，談那些中國文學家的言行和作品。

魯迅、周作人、郁達夫、郭沫若、茅盾、巴金、沈從文、聞一多、康有為、梁啟超、蔡元培等，他們對待「魏晉文學」的態度，是不知「魏晉風度」可以是通向世界藝術的途徑。

維拉斯奎茲（Diego Velázquez，一五九九—一六六〇。編按：中國早先譯作魏拉士開支）的畫，多數是「做事」，做了一件事，又做了一件事；有少數「事」，創造了他的「藝術」。

有人是純乎創造藝術的，要他做事，他做了，照樣把那件事做成藝術。委命者以為受命者完工了使命，其實是完全了藝術。維拉斯奎茲那幅《宮娥》，偉大

維拉斯奎茲《宮娥》，其藝術性遠遠超越他的時代。

的藝術！超越他的時代不知要多遠，現在還遠在時代前面呢。

整個意大利文藝復興，差不多就是如此。但在我們經歷的時代，極難把「事」做成「藝術」。

維拉斯奎茲做事，做得好——事做得太多，累壞了身子，也難免累壞藝術。如果不能保身，明哲又是指什麼呢？維拉斯奎茲和笛卡兒都把自己看低，以為低於皇室皇族。

所以，他們殉的不是道，死的性質，屬夭折、非命。真是可惜，很可惜的。

多少人，做了一件事，以為成了藝術，尤其是因為這件事做得如此之好，難道還不是藝術嗎？

是的，不是藝術，不是的。

更多的人，把「事」當做「藝術」來讚賞——這不可惜。這樣的人，一非藝術家，二非批評家，有一個現成的名稱：好事家。

至於那句話，「與其創造二流的美，不如創造一流的醜」，是老實人心裡彆扭了，迸出一句悶聲悶氣的俏皮話。第二流的美和第一流的美，相距遠；第一流的醜與第一流的美，相距較近。維拉斯奎茲不能創造第一流的美，又不肯求其次，力圖求其稍次，便去創造第一流的醜。

藝術才能自是天賦，創造美，又是天賦中的天賦。富有藝術才能而不能創造美，這樣的畫家還真不少：卡拉瓦喬、庫爾貝、米勒、珂勒惠支。

一個畫家，沒有審美力，會在生活中表現出來，畫面上裝不了的。好比色盲，有人生來就是盲於「美」的，例如王爾德，他是不知美為何物的唯美主義者。

又例如達文西，他想畫醜，畫最醜的醜，可是畫不出來，他對醜是盲的。

《世說新語》雖然洋洋大觀，其實草草，只留下魏晉人士的印象，而單憑這印象，足以驚歎中國有過如此精彩的文學的黃金時代。

為什麼當時一言一語能記錄得如此之詳，遠勝於《聊齋志異》？外國歷史、中國歷史的其他時期，都沒有這樣的文體。其中許多觀點過時了，和現代不能通，沒有永久意義，好在記錄是真實的，注解是翔實的，最好是好在文體，一刀一刀，下刀輕快。

數例：

王康稱，與嵇康相交二十年，未嘗見其喜慍之色。意指人不能有失態的喜怒。做人的修養，是做得到的。

顧榮應邀，席間見烤者想吃肉，予之，同座笑其主僕不分。後渡江，遇難，有人相助左右，乃受肉者也。

王恭自某地還，王大拜之，見有六尺方席，也要一條。王恭不答，俟其歸，卷而送之。後王大知，訝歉。王恭答：你知道我是什麼都沒有的。

小時了了，大未必佳。

清談和名士風度，要分清。清談是美稱，到了明清，清談誤國。名士風度被人歪曲糟蹋，指人架子大，不合群。兩者在後世已變質，被搞臭了。

詩人氣質：務虛，赤子之心。

問：秉性是從自然來的，為什麼善人少惡人多？答：好像水流到地上，無方無圓。

相王許，挑撥支道林、殷淵源兩個先生，事先稱厲害，兩人辯難，果入彀。

袁虎少貧。撐船。夜吟自己的詩。遇大官，知音，相談甚篤。

太極殿始成。王獻之時在謝安手下任祕書，為殿題字。得版匾，鎖而不寫。

謝安曰：魏有此類事？王獻之曰：所以魏不長。

謝公與王右軍的信寫：「敬和棲託好佳。」

謝公說：「吉人之辭寡。」

第18講

# 談音樂

1990.1.7
在薄茵萍家（未記）

講完上一課魏晉文學，不記得在怎樣的情況中，木心應我們的要求談了一次音樂，但要我們不必記錄。圖為木心遺物中的一份鋼琴曲五線樂譜。

第19講

# 陶淵明及其他

建安風骨　竹林七賢　曹操〈短歌行〉曹丕　曹植〈歸田園居〉

1990.2.4

〈短歌行〉，全詩有景、有情、有姿態、有表情、有動作。我平常説，一個藝術家要三者具備，頭腦、心腸、才能，這首詩就是一個好例子。

曹操，他是頭腦好，才能高，心腸有問題。但在詩中，可説是三者具備。

嵇康的詩，幾乎可以説是中國唯一陽剛的詩。中國的文學，是月亮的文學，李白、蘇東坡、辛棄疾、陸游的所謂豪放，都是做出來的，是外露的架子，嵇康的陽剛是內在的、天生的。

讀陶詩，是享受，寫得真樸素，真精緻。不懂其精緻，就難感知其樸素。不懂其樸素，就難感知其精緻。他寫得那麼淡，淡得那麼奢侈。

大家有這個問題：什麼是頓悟、漸悟？

來自佛教禪宗。南宗講頓悟，北宗講漸悟，用一生去參透。大家安於南北宗、頓漸悟，我不同意。

頓悟一定要有漸悟的基礎。諸位頓悟能力高，離開和我的見面、談話，就平下去了，還未達到「自立」，卓然自成一家，不建立體系而體系性很強。

為什麼？漸悟過程遠遠不夠。如此，頓悟的，漸漸會頓迷，漸悟的，也會漸迷。覆巢之下，豈有完卵？講課、聽課，是漸悟的功夫，漸悟的進程。所謂潛移默化，就是漸悟。

頓悟可以寫下來，漸悟無法寫下來。心中一亮一暗，一冷一熱，都可以，也應該寫下來。

這樣子，諸位與我分開後，仍目光如炬。

## 曹操、曹丕、曹植及建安七子

曹操篡漢，不建帝名，自作丞相，封為魏公。傳到曹丕，正式篡漢，逼宮逼掉，成曹魏，一說連朝鮮也併入。到司馬炎，又把曹家人逼宮，美名曰「禪讓」，用國號為晉，此為西晉；衰敗後，過江建都，稱東晉。後有宋、齊、梁、陳四朝，史稱南朝。

所謂北魏，因曹魏在前，故北魏又稱後魏，以別於曹操之魏。

上次講魏晉《世說新語》的言行，雖然洋洋大觀，其實草草了事，只能給大家一個魏晉人士的印象。而單憑印象，大家已經驚歎中國曾有過如此精彩的文學的黃金時代。

這段時期文化之高，西方還沒有注意到。其文學與生活的渾然一元，渾然一致，西方沒有出現過。盛唐的李白、杜甫，也未如此。不是以殉道精神入文學，而是文學即生活，生活即文學，這樣的渾然一元，是最高的殉道。

嵇康想以「不死」殉道，老子、莊子，都提倡不死殉道，說他們頹廢，胡說！他們都知道生命之可貴，沒有生命，就沒有一切，他們都想活下去。嵇康寫〈養生論〉，就是繼承《莊子．養生主》篇。嵇康後來擇死，實在迫不得已，是在苟活之狀下才擇死。阮籍佯狂醉酒，逃過種種殺機，寫了不少詠懷詩。

希臘人說：我們最講享受生命、快樂，戰爭來時，我們最勇敢！

我認為，魏晉風度，就在那些高士藝術與人生的一元論。這一點，世界上其他國家、民族的藝術家似乎都沒有做得那麼徹底——這也算我的新發現。所以，真想與魯迅先生談談。他在廈門大學的講演，〈魏晉風度及文章與藥及酒之關係〉，真稱得上「言不及義」。

今天要講陶淵明。陶淵明之前，還得先講曹操、曹植、阮籍、嵇康、左思等人的作品。中國文學史上稱「建安風骨」，後來的「盛唐氣象」是「建安風骨」的衍伸發揚。李白有句：

蓬萊文章建安骨。

盛唐的文學，是從建安來的。

今天各挑幾個，不講全。

建安七子（東漢建安年間）：孔融、陳琳、王粲、徐幹、阮瑀、劉楨、應瑒。

竹林七賢（晉朝）：山濤、阮籍、嵇康、向秀、劉伶、阮咸、王戎。

之後就是陶淵明。

曹家三父子，文學之家。曹操（一五五—二二〇），氣度之宏大，天下第一。曹植，才高八斗，不對，曹操值一石。曹操最好的詩是：

〈觀滄海〉

東臨碣石，以觀滄海。
水何澹澹，山島竦峙。
樹木叢生，百草豐茂。
秋風蕭瑟，洪波湧起。
……

可是下面背不出了，只好介紹比較通俗的〈短歌行〉：

〈短歌行〉

對酒當歌，人生幾何？
譬如朝露，去日苦多。——苦，是怨恨。
慨當以慷，憂思難忘。
何以解憂？惟有杜康。——慨當以慷，抒發不得志的感慨。杜康，是傳說中造酒的始祖。
青青子衿，悠悠我心。——「青青」二句是《詩經．鄭風．子衿》的現成句子。衿，衣領，周代的學生裝。
但為君故，沉吟至今。——沉吟，低聲吟詠。
呦呦鹿鳴，食野之苹。
我有嘉賓，鼓瑟吹笙。——四句全用《詩經．小雅．鹿鳴》。苹，艾蒿，借用在此，寓有招賢納士的新意。

明明如月，何時可輟？
憂從中來，不可斷絕。
越陌度阡，枉用相存。——南北曰阡，東西曰陌。枉，勞駕。存，問候，拜望。
契闊談讌，心念舊恩。——契闊，要約。契闊談讌，讌飲時山盟海誓，以死相約，借

《詩經》「死生契闊，與子成說，執子之手，與子偕老」的典故。

月明星稀，烏鵲南飛。

繞樹三匝，何枝可依？——匝，一圈。何枝可依，暗示天下賢士應當擇木而棲，擇主而仕。但詩本身彷徨可憐，亦赤壁大敗之讖兆。

山不厭高，海不厭深。

周公吐哺，天下歸心。——周公指周武王的弟弟姬旦，曾輔周成王主政，禮賢下士，「一沐三握髮，一飯三吐哺」。

這首詩好在即興流露，似乎不認真作文學對待。嚴格講，引《詩經》不允許一連四句拉過來，那是犯法的。但全詩造詣高，覺得作者才思足夠擋得住，所以不當剽竊論。

全詩有景、有情、有姿態、有表情、有動作。我平常說，一個藝術家要三者具備，頭腦、心腸、才能，這首詩就是一個好例子。在座各位可以自己評評自己：三者具備否？如果缺一，趕緊補一；缺二，問題大了；缺三，事情完了。

在我看，各位都是三者具備，問題在三者不均衡。有的頭腦好，心腸好，才能還不夠些。有的才能、心腸好，頭腦要充實——這都是正常的，正是每個人的風格所在。

說開去——

托爾斯泰，才能、心腸好，頭腦不行。

華格納，才能、頭腦好，心腸不行。

柴可夫斯基，頭腦、心腸好，才能不行。

不過這是比較他們自身，或者說，是和三者全能的最高超的人比較。要是和二三流人物對照，托爾斯泰的頭腦、華格納的心腸、柴可夫斯基的才能，那是高出百倍千倍。

回到曹操，他是頭腦好，才能高，心腸有問題。但在詩中（文學的有限的小規模中），可說是三者具備，至少，不失為一個例。

建安七子的**陳琳**（？—二一七），佳句如：

飲馬長城窟，水寒傷馬骨。（〈飲馬長城窟行〉）

阮瑀（約一六五—二一二），佳句如：

駕出北郭門，馬樊不肯馳。——樊，負擔太重。

下車步踟躕，仰折枯楊枝。（〈駕出北郭門行〉）

王粲（一七七—二一七），是七子中的佼佼者，以〈登樓賦〉、〈七哀詩〉著名，但我卻選不中什麼句子來介紹。

徐幹（一七〇—二一七），佳句如：

〈室思〉

……

自君之出矣，明鏡暗不治。

思君如流水，何有窮已時。

其他三子，一時找不到資料，記憶中也沒東西可挖，從略。回頭再說曹家，他們三位確實超出同代文士之上。好詩人，總是一開口就兩樣。

曹丕（一八七—二二六）：

**〈雜詩〉其二**

西北有浮雲，亭亭如車蓋。
惜哉時不遇，適與飄風會。——飄風，突起的暴風。
吹我東南行，行行至吳會。
吳會非我鄉，安得久留滯。
棄置勿復陳，客子常畏人。

曹植（一九二—二三二）：

**〈白馬篇〉**

白馬飾金羈，連翩西北馳。
借問誰家子，幽并遊俠兒。——幽并，河北、山西一帶。
……

〈送應氏〉其一

……
中野何蕭條，千里無人煙。——中野，野間。
念我平常居，氣結不能言。——平常居，平生與故舊的住處。氣結，悲憤梗塞。

## 竹林七賢：阮籍、嵇康

能夠欣賞崇高偉大的作品，自己就崇高偉大。

順勢而下，要講到竹林中去了。不過我只講阮籍、嵇康兩位。一是七賢之中，阮籍、嵇康，最傑出；二是因為粗解容易，細味難。

原因：阮籍（二一〇—二六三）為要避殺身之禍，詩寫得曖昧晦澀，表面看，兒女之情，其實寄託甚深的。但不瞭解他的身世處境，難道感受不了他的詩嗎？不然，藝術家、藝術品、藝術欣賞者，三者自有微妙的關係。藝術家的身世，不必直說，藝術品中會透露出來，欣賞者不必瞭解藝術家傳記，卻能從作品中看出他是怎樣一個人。

**〈詠懷〉其三**

嘉樹下成蹊，東園桃與李。
秋風吹飛藿，零落從此始。——飛藿，豆葉。
繁華有憔悴，堂上生荊杞。——荊杞，灌木，指雜樹。
驅馬舍之去，去上西山趾。——趾，山腳。西山，首陽山，伯夷、叔齊所居。
一身不自保。何況戀妻子。
凝霜被野草，歲暮亦云已。

又有下面幾句：

〈詠懷〉其六十七

……

外厲貞素談，戶內滅芬芳。

放口從衷出，復說道義方。

委曲周旋儀，姿態愁我腸。

這是一首諷刺詩，表面裝得純潔高超，生活卻臭不可聞。偶爾放肆，露了心裡話，馬上改口仁義道德，卑躬屈膝的樣子，令人討厭。

但古代雖然專制，詩人還可以悲哀。我遇到的時代，誰悲哀，誰就是反革命。所以熱愛生活啊、健康積極向上啊，飽含惡念，是陰謀，是騙局，是透明的監獄，是愚民的毒藥。我一步步看出這種虛偽，用心之刻毒，遠遠超出古代。對照起來，要在漢末、魏晉、南北朝，做個藝術家、做個詩人，並不很難，在我青壯年時代，你要活得像個人，太不容易了。所以我同情阮籍，阮籍更應該同情我哩。

中國文學史，能夠稱兄道弟的，是**嵇康**（二二四—二六三，一說二二三—二六二），他長得漂亮——如果其貌不揚，我也不買帳。嵇康的詩，幾乎可以說是中國唯一陽剛的詩。中國的文學，是月亮的文學，李白、蘇東坡、辛棄疾、陸游的所謂豪放，都是做出來的，是外露的架子，嵇康的陽剛是內在的、天生的。後世評嵇康，各家各言，最好的評語，四個字：興高采烈。

舉一個例：

**〈贈秀才入軍〉其十**（秀才嵇喜，嵇康之兄。）

……

良馬既閑，麗服有暉。
左攬繁弱，右接忘歸。——攬，張弓。繁弱，古良弓。接，搭箭。忘歸，古良箭。
風馳電逝，躡景追飛。——景，影也。飛，鳥也。
凌厲中原，顧眄生姿。——凌厲，奮戰。

再舉一例：

〈贈秀才入軍〉其十五

息徒蘭圃，秣馬華山。
流磻平皋，垂綸長川。——磻，以繩拴石擊鳥，音波。
目送歸鴻，手揮五弦。
俯仰自得，遊心太玄。
嘉彼釣叟，得魚忘筌。——筌，捕魚的竹籠。
郢人逝矣，誰可盡言？——郢，楚國都。

作詩，即有此「天生麗質」。以上兩首，最有嵇康風範，在整部中國詩史上也顯得非常卓越。李白、杜甫，總給人「詩仙」、「詩聖」之感，屈原、嵇康，給我的感覺是「藝術家」——「藝術家」是什麼？我的定義，是「僅次於上帝的人」。

嵇康為什麼是藝術家？人格的自覺。風度神采，第一流。

所以第一流的藝術品，還得分兩類：

一，藝術品高度完美，藝術家退隱不見。

二，藝術品高度完美，藝術家凌駕其上。

以畫家論，前者如維拉斯奎茲，後者如達文西、米開朗基羅——藝術家貴在「自覺」，原始藝術如彩陶和後來的敦煌、雲岡，因為製作者沒有藝術家的自覺，只見作品，不見作者。自然界呢，花、葉、山、水，奇妙在似乎有作者的，而且非常自覺，所以總是使我發愁，使我的無神論始終無不起來。我是一個很不好意思的無神論者。這個命題留待以後講。

最高興最安慰的是：二三流藝術家是自覺不了的。不是說，「好，自覺這樣重要，我決計要自覺了」——這可更糊塗，更裝腔作勢，搭臭架子了——成熟自覺的藝術家，如水蜜桃，不到成熟，香味不出來，但桃子自己也聞到了，就笑咪咪地，愈發香了。

第一流的藝術家，非常自愛（不是自戀），會自我觀照，自我脫離，以供自我觀照，用神馳的眼光對待自己。

通常的解釋是，二流三流也有成熟期。我的見解是：唯一流才有成熟可言——你們去考察最偉大的藝術家，幾乎全是這樣的，有的明顯些，有的含蓄些。

反正哪裡有藝術，哪裡便有「人」。我一天到晚愛藝術、愛人，沒有功夫愛「人類」。我是人類的遠房親戚。

王麓臺（王原祁，號麓臺，一六四二—一七一五），率意，但不是率真，不是率性。看起來老筆紛披，成熟了，然而沒有香味。率意而不率性，更無率真可說。因為他沒有什麼至性、至真，亦即，他是二流。「四王」（編按：即清初四王，王時敏、王鑑、王原祁、王翬）始終是模仿的群體。維拉斯奎茲，也避開創造美而創造一流的醜。然而，醜畢竟不是美，二流人物再自覺，也不可能晉身一流。

## 雙重隱士：陶淵明

現在要講陶淵明了。

我十歲認識陶先生，於今五十多年，算是比較理解他了。我和你們認識不過五年七年，自然只能交淺言淺。

陶淵明（約三六五—四二七），雙重的隱士，實際生活是退歸田園，隱掉了。文學風格是恬淡沖和，也隱在種種高言大論之外。上次我說屈原是中國古代文學的塔尖，曹立偉立刻問：那麼陶淵明呢？這一問問得好。我當時的回答是：陶淵明不在中國文學的塔內，他是中國文學的塔外人。

正由於他的第二重隱士性，所以生前死後，沒沒無聞。

按我的論點，「知名度來自誤解」，沒有錯：梁代昭明太子誤解陶潛，陶於是名聲大噪——蕭統是我在烏鎮的鄰居，我在〈塔下讀書處〉賣弄過這份闊氣——昭明太子對陶淵明的詩實在看錯了，說，讀陶詩有利於名教（孔孟之道），可以使貪者廉、懦者立。實在見鬼。既是貪婪之徒、膽小之輩，根本不配，也不會去讀陶詩。

讀陶詩，是享受，寫得真樸素，真精緻。不懂其精緻，就難感知其樸素。不懂其樸素，就難感知其精緻。他寫得那麼淡，淡得那麼奢侈。

請看：

**〈和郭主簿二首〉其一**（主簿，掌管文書的官吏。）

藹藹堂前林，中夏貯清陰。——藹藹，茂盛。

凱風因時來，回飆開我襟。——凱風，南風。
息交遊閑業，臥起弄書琴。
園蔬有餘滋，舊穀猶儲今。——滋，繁殖。
營己良有極，過足非所欽。
舂秫作美酒，酒熟吾自斟。
弱子戲我側，學語未成音。
此事真復樂，聊用忘華簪。——故作輕放，意則決然。
遙遙望白雲，懷古一何深。——似問如答，蕩滌不盡。

紀德不是總說，要怎樣才能寫得真誠，陶淵明就是最好的回答。但紀德即使精通中文，讀了陶淵明還是沒有用。因為紀德提出這個問題，問題就大了，就沒有希望解決了——陶潛從來不會想到「怎樣才能寫得真誠」。

再看下面幾首：

## 〈和郭主簿二首〉其二

和澤同三春，清涼素秋節。
露凝無遊氛，天高肅景澈。——遊氛，霧氣。
陵岑聳逸峰，遙瞻皆奇絕。——陵，大土山。岑，小而高的山。
芳菊開林耀，青松冠岩列。
懷此貞秀姿，卓為霜下傑。
銜觴念幽人，千載撫爾訣。——訣，法則。
檢素不獲展，厭厭竟良月。——檢素，平時志願。

## 〈歸園田居〉其一

少無適俗韻，性本愛丘山。
誤落塵網中，一去三十年。
羈鳥戀舊林，池魚思故淵。——羈，關在籠中。池，捕養在塘中。
開荒南野際，守拙歸園田。——保本分。
方宅十餘畝，草屋八九間。——方宅，住房四周面積。

榆柳蔭後簷，桃李羅堂前。——蔭，遮蔽。羅，散佈。
曖曖遠人村，依依墟里煙，
狗吠深巷中，雞鳴桑樹巔。
戶庭無塵雜，虛室有餘閒，
久在樊籠裡，復得返自然。

**〈歸園田居〉其二**

野外罕人事，窮巷寡輪鞅。——人事，社交。鞅，套馬頸的皮帶。
白日掩荊扉，虛室絕塵想。
時復墟曲中，披草共來往。——墟曲中，村落偏僻處。
相見無雜言，但道桑麻長。——雜言，農務以外的話。
桑麻日已長，我土日已廣。
常恐霜霰至，零落同草莽。——霜霰，雪珠。草莽，野草。

〈歸園田居〉其三

種豆南山下，草盛豆苗稀。
晨興理荒穢，帶月荷鋤歸。——興，起。穢，音晦。
道狹草木長，夕露沾我衣。
衣沾不足惜，但使願無違。

〈庚戌歲九月中於西田穫早稻〉

人生歸有道，衣食固其端。——歸有道，有遵循的原則。
孰是都不營，而以求自安！
開春理常業，歲功聊可觀。
晨出肆微勤，日入負耒還。——耒，音磊。
山中饒霜露，風氣亦先寒。
田家豈不苦？弗獲辭此難。
四體誠乃疲，庶無異患干。——或可免意外的禍患。
盥濯息簷下，斗酒散襟顏。

遙遙沮溺心，千載乃相關。——遙遙沮溺，「長沮、桀溺耦而耕」。

但願長如此，躬耕非所歎。

〈飲酒並序〉

餘閒居寡歡，兼比夜已長。偶有名酒，無夕不飲。顧影獨盡，忽焉復醉。既醉之後，輒題數句自娛。紙墨遂多，辭無詮次（考慮次序）。聊命故人書之，以為歡笑爾。

……

結廬在人境，而無車馬喧。
問君何能爾？心遠地自偏。
採菊東籬下，悠然見南山。
山氣日夕佳，飛鳥相與還。
此中有真意，欲辯已忘言。

……

清晨聞叩門，倒裳往自開。

問子為誰歟，田父有好懷。
壺漿遠見候，疑我與時乖。
襤褸茅簷下，未足為高棲。
一世皆尚同，願君汩其泥。
深感父老言，稟氣寡所諧。
紆轡誠可學，違己詎非迷！
且共歡此飲，吾駕不可回。

〈雜詩〉

人生無根蒂，飄如陌上塵。
分散逐風轉，此已非常身。
落地為兄弟，何必骨肉親！
得歡當作樂，斗酒聚比鄰。
盛年不重來，一日難再晨。
及時當勉勵，歲月不待人。

〈讀山海經〉

孟夏草木長，繞屋樹扶疏。
眾鳥欣有託，吾亦愛吾廬。
既耕亦已種，時還讀我書。
窮巷隔深轍，頗回故人車。
歡言酌春酒，摘我園中蔬。
微雨從東來，好風與之俱。
泛覽周王傳，流觀山海圖。
俯仰終宇宙，不樂復何如？

……

什麼是陶潛的現代意義？

漢賦，華麗的體裁，現在沒用了。豪放如唐詩，現在也用不上了。淒清委婉的宋詞，太傷情，小家氣的，現在也不必了。要從中國古典文學汲取營養，借力借光，我認為尚有三個方面：

諸子經典的詭辯和雄辯，今天可用。
史家述事的筆力和氣量，今天可用（包括《世說新語》）。
《詩經》、《樂府》、陶詩的遣詞造句，今天可用！
陶詩的境界、意象，在現代人看來，還是簡單的，但陶詩的文學本體性的高妙，我衷心喜愛。如：

> 平疇交遠風，良苗亦懷新。（〈癸卯歲始春懷古田舍二首〉）
>
> 有風自南，翼彼新苗。（〈時運〉）

他不是中國文學的塔尖。他在塔外散步。我走過的，還要走下去的，就是這樣的意象和境界。「採菊東籬下，悠然見風箏」，我就像脫線的風箏，線斷了，還向上飛。陶先生問：「不願做塔尖嗎？」我說：「生在西方，就做伊卡洛斯，生在中國，只好做做脫線的風箏。」

我與陶潛還有一點相通：喜歡寫風。文筆、格調，都有風的特徵。

李後主，「亂頭粗服」也好——前提是「天生麗質」。

木心作品集——14

# 1989-1994文學回憶錄：古代之卷

講　　述　木　心
筆　　錄　陳丹青
總 編 輯　初安民
特約編輯　敏　麗
美術編輯　林麗華

發 行 人　張書銘
出　　版　INK印刻文學生活雜誌出版股份有限公司
新北市中和區建一路249號8樓
電話：02-22281626
傳真：02-22281598
e-mail：ink.book@msa.hinet.net
網　　址　舒讀網http：//www.inksudu.com.tw

法律顧問　巨鼎博達法律事務所
施竣中律師
總 代 理　成陽出版股份有限公司
電　　話　03-3589000（代表號）
傳　　真　03-3556521
郵政劃撥　19785090　印刻文學生活雜誌出版股份有限公司
印　　刷　海王印刷事業股份有限公司

港澳總經銷　泛華發行代理有限公司
地　　址　香港新界將軍澳工業邨駿昌街7號2樓
電　　話　(852) 2798 2220
傳　　真　(852) 2796 5471
網　　址　www.gccd.com.hk

出版日期　2013年10月　初版
2023年 9 月 8 日　初版四刷
定　　價　350元
1550元（套書）
ISBN　978-986-5823-35-1 (平裝)
978-986-5823-39-9 (套書)



國家圖書館出版品預行編目資料

1989-1994文學回憶錄：
古代之卷／木心 著；
--初版, --新北市中和區：INK印刻文學,
2013. 10　面；　公分.
ISBN　978-986-5823-35-1 (平裝)
978-986-5823-39-9 (套書)
1.世界文學 2.文學史
810.9　　102018257